日本人のための

韓国語入門

FIRST STEP IN KOREAN FOR JAPANESE

Compiled by
The Institute of Continuing Education
of Kyung Hee University

■ 代表著者

李 淑 子　日本 青山学院大学 文学部卒業
日本 青山学院大学大学院 文学研究科 終了(文学博士)
慶熙大学校 外国語大学 学長 歴任
慶熙大学校 平生教育院 院長 歴任
現在 慶熙大学校 日語日文学科教授

■ 訳者

金 銀 英　慶熙大学校 教育大学院 日語日文学科修士
現在 慶熙大学校 日語日文学科 日本語講師

金 活 蘭　慶熙大学校 大学院 日語日文学科 博士課程在学中
現在 慶熙大学校 日語日文学科 日本語講師

阿武正英　創価大学 文学部卒業
大東文化大学 大学院 文学研究科 博士課程 単位取得修了
現在 慶熙大学校 日語日文学科 専任教授

佐藤揚子　昭和女子大学 大学院 文学研究科 博士課程 単位取得修了
現在 慶熙大学校 日語日文学科 専任教授

栗畑利枝　東海大学 短期学部 卒業
現在 慶熙大学校 平生教育院 韓国語課程在学中

FIRST STEP IN KOREAN FOR JAPANESE

Published by MINJUNG SEORIM
526-3 Munbal-dong, Paju-si,
Gyeonggi-do 413-832, KOREA
Phone: (031) 955-6500～6　Fax: (031) 955-6525～6

Price: 13,000 Won
ISBN: 978-89-387-0005-6 13710

Printed in Korea

序文

社会のグローバル化によって世界は徐々に狭くなってきています。情報がスピーディーに相互交換される時代において、技術と文化、そして国家間の相互理解は国際社会で生き残る為の必須項目であり、通信技術は他の国を理解し、国際市場で最も競争力を持つカギです。国際政治分野での韓国の役割が大きくなるにつれ、国際経済と文化の分野においても、韓国語の必要性が高まり、韓国語は国際社会が要求する言語の一つになりつつあります。このような状況のもと、本書は韓国語を母国語としない方々がやさしく韓国語を学習することができるように作られました。

本書出版のため、様々な分野で多くの方々に協力して頂きました。韓国語の専門家だけでなく、翻訳文もできるだけ自然な表現となるよう、英語、中国語、日本語、ロシア語、ドイツ語、フランス語、スペイン語の専門家にもご協力を頂きました。韓国語は外国人学習者にとっては外国語であり、我々教師にとっては外国語を学ぼうという学習者の立場や心理を理解することは必須であるからです。また、我々は英語、日本語、中国語、ロシア語、ドイツ語、フランス語、スペイン語の母語話者からも検証を受けて、多くのアドバイスを頂きました。この一連の作業を通じて教材を教師の視点だけではなく、学習者の視点からも考えるように配慮しました。

校正と再検討には多くの時間と努力を要しました。特に、挿絵を取り入れる作業は簡単ではありませんでした。しかし、第2言語教育理論により、視覚的な効果を通して本文の内容の理解を助けるため挿絵を数多く取り入れ、学習者の意見も反映されるよう努力しました。こうして時間をかけて作られた本書が全世界で多くの方々に学んで頂けることを願ってやみません。

最後になりましたが、本書の出版に関して協力して下さったすべての方々に御礼申し上げます。また、本書の編集をして下さった民衆書林の編集部の皆様にも深く御礼申し上げます。

2001年 3月

慶熙大学校 平生教育院 院長　李 淑 子

紹介

本書は韓国語を母語としない方々が短期間に、しかも効果的に日常生活で必要な韓国語を学習できるように作られました。なお、韓国語だけではなく、韓国文化の紹介も取り入れていますので、韓国に来たばかりの方々の手助けにもなるとも思われます。

本書はハングルを始め、韓国語の詳しい文法説明だけにとらわれず、外国人がたびたび韓国での生活において直面する場面、例えば、自己紹介、年月日や数字の言い方、食堂で注文する方法、電話のかけ方、旅行、ショッピング、銀行での会話などを多く扱っております。また、文法については韓国語文法の体系的理解の為に重要なポイントをわかりやすくまとめました。その説明は各課の会話の状況や場合と関連付けられています。

さらに、各課の復習として「練習問題」を加えました。すべての練習問題はその課で学習した内容を基礎にして出されています。単語は学習者の言語能力に配慮し、選択されています。従って、「練習問題」を通じて各課の新しい表現を明確に記憶し確認することができます。言語能力習得の為には語彙力を伸ばさなければなりません。そのため、新出単語は会話の直後に紹介されています。韓国語は単語の語尾変化が複雑な言語ですから、学習者の混乱を防ぐ為に、単語紹介では基本型ではなく会話に出ている形をそのまま載せています。広範囲かつ大量な単語は、練習を通じて覚えることができるように配慮しました。例えば、ある課に「夏」という単語がある場合、「季節」という領域すべての単語、「春」、「秋」、「冬」を同時に紹介するようにしてあります。

本書は韓国語を学習しようとする基礎段階の学習者のためにローマ字による発音表記と日本語の解釈をつけました。韓国語と日本語は文の構造や単語が似ているところが多いため、解釈文は学習者が韓国語の文章の全体の意味を把握するのに役に立つと思われます。また、発音表記法は、教育人的資源部(日本の文部科学省に相当)で定められた新しいローマ字表記法が適用されています。しかし、このローマ字表記は必要時に限り発音確認の為に参考にすることが望ましいと思われます。

教材の後部に索引がありますので単語の意味が分からないときは、参考にして下さい。

日本語を母語としない学習者のために、日本語以外に英語、中国語、ロシア語、フランス語翻訳版を出版しました。今後、ドイツ語、スペイン語翻訳版を出版する予定です。

本書は第一部、第二部、第三部の全20課で構成されています。各課は「会話」、「基本語彙」、「関連語彙」、「重要文型」、「練習問題」、「読み取り練習」から成っています。

初めにハングルの紹介、後部には索引が添附されています。本書の意図を理解した上で学習すれば、日常生活における基礎的な韓国語を身につけることが可能であると思われます。

凡　例

( )　‘二つの中で一つを選ぶ’ 又は ‘動詞の原形’ を意味する。
→　‘〜に変えなさい’ 又は ‘〜になる’ を意味する。
+　形態素(意味を持つ最小の言語の単位)の境界を表わす。
-　一つの音節で発音する部分を表わす。

韓国語の発音と特徴

■ パッチムの発音は代表音で発音します。
“ㄷ〔d〕” “ㅌ〔t〕」” ㅈ〔j〕” “ㅊ〔ch〕” “ㅅ〔s〕” “ㅆ〔ss〕”のパッチムは代表音である “ㄷ”で発音され、“ㄱ〔g〕” “ㅋ〔k〕”のパッチムは代表音である“ㄱ”で発音され、“ㅂ〔b〕” “ㅍ〔p〕”のパッチムは代表音である“ㅂ”で発音される。

例)　밭 [받] 畑　　　빛 [빋] 光
　　부엌 [부억] 台所　　앞 [압] 前

■ パッチムの後ろに母語が来る場合、連音化し、パッチムが次の母音の初声のように発音される。

例)　한국어 [한구거] 韓国語　　묻어 [무더] 埋めて
　　직업 [지겁] 職業　　월요일 [워료일] 月曜日

■ 硬音化〔濃音化〕－“ㄱ〔k〕” “ㄷ〔t〕” “ㅂ〔b〕” “ㅅ〔s〕” “ㅈ〔j〕”の後ろに“ㄱ〔g〕” “ㄷ〔d〕” “ㅂ〔b〕”が来ると“ㄲ〔kk〕” “ㄸ〔tt〕” “ㅃ〔bb〕” “ㅆ〔ss〕” “ㅉ〔jj〕”のように強く発音される。

例)　학교 [학꾜] 学校　　닫다 [닫따] 閉める
　　맛보다 [맏뽀다] 味わう　　젖다 [젇따] 濡れる

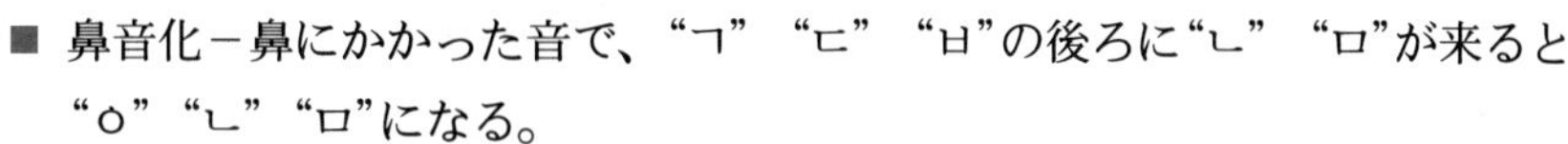

■ 鼻音化－鼻にかかった音で、“ㄱ” “ㄷ” “ㅂ”の後ろに“ㄴ” “ㅁ”が来ると“ㅇ” “ㄴ” “ㅁ”になる。

例） 낱말 [난말] 単語　　　작년 [장년] 去年

■ 口蓋音化－“ㄷ” “ㅌ”パッチムの後ろに母音“ㅣ”が来ると、“ㅈ” “ㅊ”の発音になる。

例） 맏이 [마지] 最初の子供　　　같이 [가치] 共に

■ 舌側音化－“ㄴ”の後ろに“ㄹ”が来ると、“ㄴ”発音も“ㄹ”に変わる。

例） 천리 [철리] 千里
달나라 [달라라] 月世界

■ 激音化－“ㄱ” “ㄷ” “ㅂ” “ㅈ”の後ろに“ㅎ”が来ると、“ㅋ” “ㅌ” “ㅍ” “ㅊ”のように強く発音される。

例） 좋다 [조타] 良い　　　많다 [만타] 多い

■ 母音縮約－母音が連続する時は短縮することができる。

例）
오[o]＋아[a] → 와[wa]　　　우[u]＋어[eo] → 워[wo]
이[i]＋아[a] → 야[ya]　　　이[i]＋어[eo] → 여[yeo]
이[i]＋오[o] → 요[yo]　　　이[i]＋우[u] → 유[yu]
아[a]＋이[i] → 애[ae]

目　次

パート I

パート III

❶ 母音 (한글의 기본 모음)

母音	発音	書き順	単			語	
ㅏ	a	ㅏ	ㅏ	ㅏ		사자 saja ライオン	
	아		ㅏ	ㅏ			
ㅑ	ya	ㅑ	ㅑ	ㅑ		야구 yagu 野球	
	야		ㅑ	ㅑ			
ㅓ	eo	ㅓ	ㅓ	ㅓ		머리 meori 頭	
	어		ㅓ	ㅓ			
ㅕ	yeo	ㅕ	ㅕ	ㅕ		별 byeol 星	
	여		ㅕ	ㅕ			
ㅗ	o	ㅗ	ㅗ	ㅗ		모자 moja 帽子	
	오		ㅗ	ㅗ			
ㅛ	yo	ㅛ	ㅛ	ㅛ		교회 gyohwoe 教会	
	요		ㅛ	ㅛ			
ㅜ	u	ㅜ	ㅜ	ㅜ		우유 uyu 牛乳	
	우		ㅜ	ㅜ			

母音	発音	書き順	単 語				
ㅠ	yu 유	ㅠ (1→, 2↓, 3↓)	ㅠ ㅠ	ㅠ ㅠ		귤 gyul みかん	
ㅡ	eu 으	ㅡ (1→)	ㅡ ㅡ	ㅡ ㅡ		트럭 teureok トラック	
ㅣ	i 이	ㅣ (1↓)	ㅣ ㅣ	ㅣ ㅣ		기차 gicha 汽車	
ㅐ	ae 애	ㅐ (1↓, 2→, 3↓)	ㅐ ㅐ	ㅐ ㅐ		개구리 gaeguri 蛙	
ㅒ	yae 얘	ㅒ (1↓, 2→, 3→, 4↓)	ㅒ ㅒ	ㅒ ㅒ		얘 yae この子	
ㅔ	e 에	ㅔ (1→, 2↓, 3↓)	ㅔ ㅔ	ㅔ ㅔ		게 ge かに	
ㅖ	ye 예	ㅖ (1→, 2→, 3↓, 4↓)	ㅖ ㅖ	ㅖ ㅖ		계단 gyedan 階段	

母音	発音	書き順	単語				
ㅘ	wa / 와	ㅘ	ㅘ ㅘ / ㅘ ㅘ			과일 gwail 果物	
ㅙ	wae / 왜	ㅙ	ㅙ ㅙ / ㅙ ㅙ			돼지 dwaeji 豚	
ㅚ	oe / 외	ㅚ	ㅚ ㅚ / ㅚ ㅚ			왼쪽 oenjjok 左側	
ㅝ	wo / 워	ㅝ	ㅝ ㅝ / ㅝ ㅝ			원숭이 wonsung-i 猿	
ㅞ	we / 웨	ㅞ	ㅞ ㅞ / ㅞ ㅞ			웨이터 weiteo ウェイター	
ㅟ	wi / 위	ㅟ	ㅟ ㅟ / ㅟ ㅟ			귀 gwi 耳	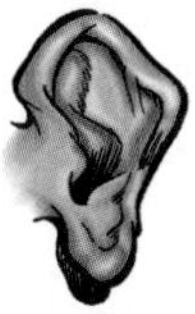
ㅢ	ui / 의	ㅢ	ㅢ ㅢ / ㅢ ㅢ			의사 uisa 医者	

❷ 子音 (한글의 기본 자음)

子音	発音	書き順				単語	
ㄱ	g, k [giyeok]	ㄱ	ㄱ ㄱ			가위 gawi はさみ	
ㄴ	n [nieun]	ㄴ	ㄴ ㄴ			나비 nabi 蝶	
ㄷ	d, t [digeut]	ㄷ	ㄷ ㄷ			도로 doro 道路	
ㄹ	r, l [rieul]	ㄹ	ㄹ ㄹ			로켓 roket ロケット	
ㅁ	m [mieum]	ㅁ	ㅁ ㅁ			말 mal 馬	
ㅂ	b, p [bieup]	ㅂ	ㅂ ㅂ			바지 baji ズボン	
ㅅ	s [siot]	ㅅ	ㅅ ㅅ			사과 sagwa りんご	

子音	発音	書き順	単語				
ㅇ	ø, ng [ieung]	ㅇ	ㅇ ㅇ ㅇ ㅇ			아기 agi 赤ん坊	
ㅈ	j [jieut]	ㅈ	ㅈ ㅈ ㅈ ㅈ			장미 jangmi バラ	
ㅊ	ch [chieut]	ㅊ	ㅊ ㅊ ㅊ ㅊ			책 chaek 本	
ㅋ	k [kieuk]	ㅋ	ㅋ ㅋ ㅋ ㅋ			코 ko 鼻	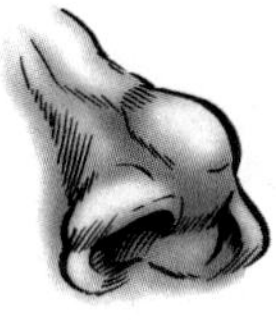
ㅌ	t [tieut]	ㅌ	ㅌ ㅌ ㅌ ㅌ			탑 tap 塔	
ㅍ	p [pieup]	ㅍ	ㅍ ㅍ ㅍ ㅍ			팔 pal 腕	
ㅎ	h [hieut]	ㅎ	ㅎ ㅎ ㅎ ㅎ			하늘 haneul 空	

子音	発音	書き順	単語				
ㄲ	kk [ssanggiyeok]	ㄲ	ㄲ ㄲ ㄲ ㄲ			꽃 kkot 花	
ㄸ	tt [ssangdigeut]	ㄸ	ㄸ ㄸ ㄸ ㄸ			뚱보 ttungbo 太っちょ	
ㅃ	pp [ssangbieup]	ㅃ	ㅃ ㅃ ㅃ ㅃ			빵 ppang パン	
ㅆ	ss [ssangsiot]	ㅆ	ㅆ ㅆ ㅆ ㅆ			싸움 ssaum けんか	
ㅉ	jj [ssangjieut]	ㅉ	ㅉ ㅉ ㅉ ㅉ			쪽지 jjokji 紙切れ	

❸ パッチム (받침)

子音	発音	書き順	単		語	
ㄱ	-k	ㄱ, ㅋ, ㄳ, ㄺ, ㄲ	학교 hakgyo 学校		닭 dak 鶏	
ㄴ	-n	ㄴ, ㄵ, ㄶ	전화 jeonhwa 電話		많다 manta 多い	
ㄷ	-t	ㄷ, ㅅ, ㅆ, ㅈ, ㅊ, ㅌ, ㅎ	옷 ot 服		빛 bit 光	
ㄹ	-l	ㄹ, ㄼ, ㄾ, ㅀ, ㄺ, ㄳ	얼굴 eolgul 顔		여덟 yeodeol 八	
ㅁ	-m	ㅁ, ㄻ	담배 dambae タバコ		젊다 jeomda 若い	
ㅂ	-p	ㅂ, ㅍ, ㅄ, ㄼ, ㄿ	접시 jeopsi お皿		잎 ip 葉	
ㅇ	-ng	ㅇ	종 jong 鐘		병아리 byeong-ari ひよこ	

한국의 전통 문화 I

韓国の伝統文化（I）

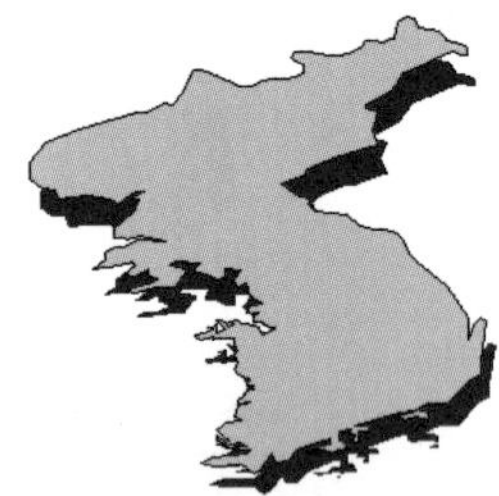

한국 지도
hanguk jido
韓国の地図

태극기
taegeuk-gi
韓国の国旗

널뛰기
neolttwigi
伝統的なシーソ遊び

댕기머리
daenggimeori
伝統的なヘアースタイル

부채춤
buchaechum
伝統的な扇の舞り

스님
seunim
僧侶

상모돌리기
sangmodolligi
伝統的な踊りの一つで帽子についている紐を振り回しながら踊る舞

신부
sinbu
花嫁

살풀이춤
salpurichum
民俗舞踊の一つ

가마
gama
伝統的な輿

갓
gat
伝統的な帽子の一つ

곰방대
煙草のパイプ

한국의 전통 문화 Ⅱ

韓国の伝統文化（Ⅱ）

남대문
namdaemun
南大門

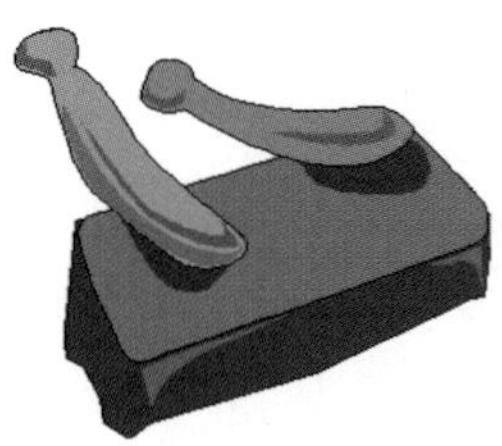

다듬이
dadeumi
洗濯物のせてたたく台
(昔のアイロン)

탑
tap
塔

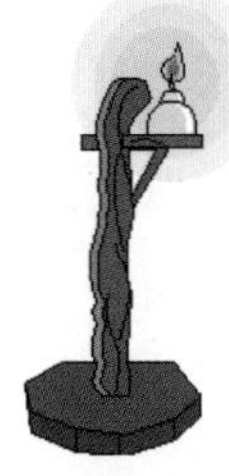

등잔
deungjan
伝統的なランプ

떡
tteok
餅

맷돌
maetdol
石臼

화로
hwaro
火鉢

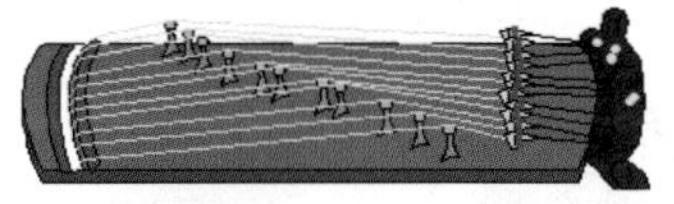

가야금
gayageum
伽倻琴(伝統的な
絃楽器の一つ)

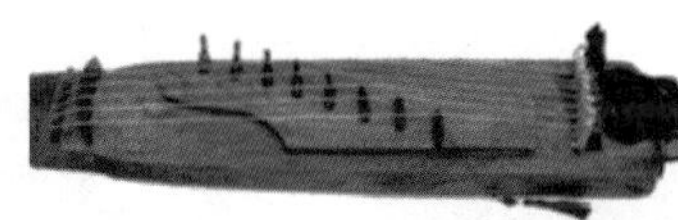

아쟁
ajaeng
牙箏(伝統的な
絃楽器の一つ)

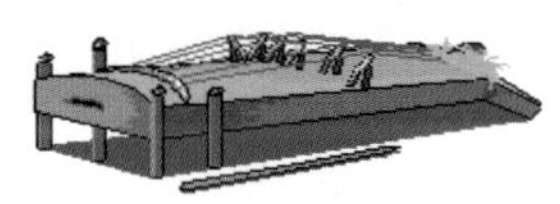

거문고
geomungo
玄鶴琴(伝統的な
打楽器の一つ)

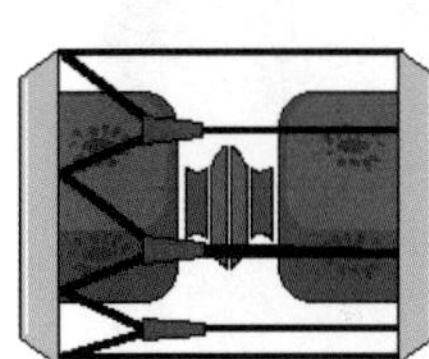

장구
jang-gu
長鼓(伝統的な
打楽器の一つ)

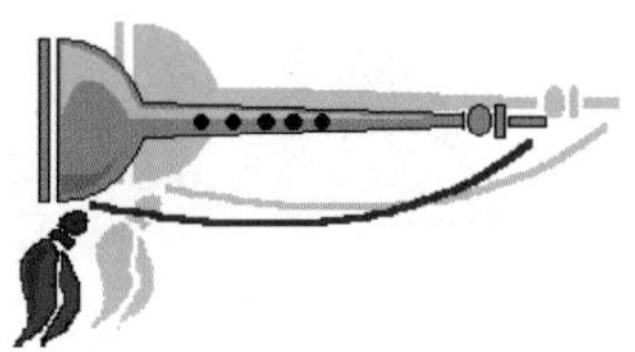

태평소
taepyeongso
太平簫(伝統的な
吹奏楽器の一つ)

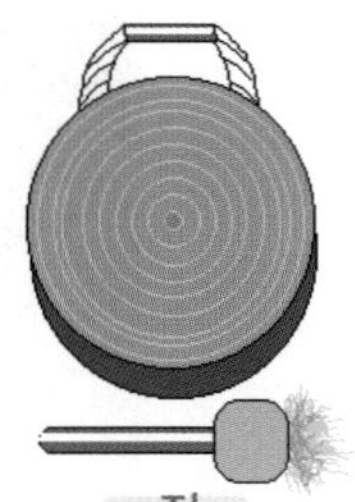

징
jing
どら(伝統的
な打楽器の一つ)

피리
piri
笛

■ 瓦(伝統家屋の屋根様式)

■ ソウル市内

テコンド ■

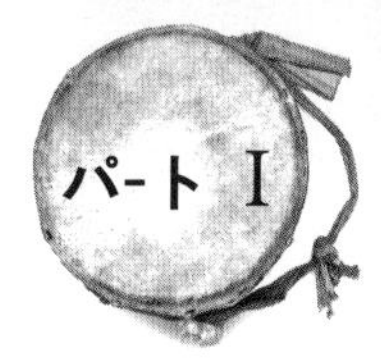

제 1 과
第 1 課
안녕하세요? こんにちは。

重要表現

1. 안녕하세요? こんにちは。
   annyeonghaseyo
2. 당신은 어느 나라 사람입니까? あなたはどの国のですか。(お国はどちらですか。)
   dangsineun eoneu nara saramimnikka

▪会 話▪

会 話 1

수미: 안녕하세요? こんにちは。
annyeonghaseyo

헨리: 안녕하세요? こんにちは。
annyeonghaseyo

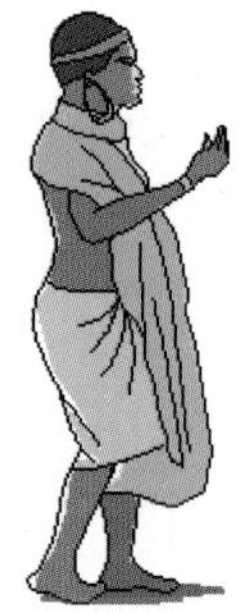

수미: 이름이 무엇입니까? お名前は何ですか。
ireumi mueosimnikka

헨리: 헨리입니다. ヘンリーです。
henriimnida

당신의 이름은 무엇이에요? あなたのお名前は何ですか。
dangsinui ireumeun mueosieyo

수미: 제 이름은 이수미입니다. 私の名前はイ・スミです。
je ireumeun isumiimnida

만나서 반갑습니다. お会いできてうれしいです。
mannaseo bangapseumnida

헨리: 만나서 반갑습니다. お会いできてうれしいです。
mannaseo bangapseumnida

会 話 2

수미: 당신은 어느 나라 사람입니까?
dangsineun eoneu nara saramimnikka
あなたはどの国の人ですか。(お国はどちらですか。)

헨리: 저는 나이지리아 사람입니다.
jeoneun naijiria saramimnida
私はナイジェリア人です。

수미: 당신도 나이지리아 사람입니까?
dangsindo naijiria saramimnikka
あなたもナイジェリア人ですか。

존슨: 아니오, 나이지리아 사람이 아닙니다.
anio naijiria sarami animnida
いいえ、ナイジェリア人ではありません。

저는 미얀마 사람입니다.
jeoneun miyanma saramimnida
私はミャンマー人です。

基本語彙

- 어느 どの
- 제 わたくしの
- 저 わたくし
- 나 俺、僕、わたし
- 너 お前
- 이름 名前
- 나라 国
- 당신 あなた
- 아니오 いいえ
- ~이다 ~だ
- 나이지리아 ナイジェリア
- 미얀마 ミャンマー
- ~이 아니다 ~ではない
- 반갑습니다 うれしいです。
- 안녕하세요? こんにちは。
- (이름)무엇입니까? 何ですか。

関連語彙

미국 [miguk] アメリカ		나이지리아 [naijiria] ナイジェリア	
일본 [ilbon] 日本		미얀마 [miyanma] ミャンマー	
중국 [jungguk] 中国		파키스탄 [pakistan] パキスタン	
호주 [hoju] オーストラリア		한국 [hanguk] 韓国	

■重要文型■

① '안녕하세요?' は、人と会ったときの挨拶である。日本語では 'おはようございます' 'こんにちは' 'こんばんは' のように時間帯ごとに三つの挨拶があるが、韓国では '안녕하세요?' 一つしかない。

② 主格助詞 '～이 / 가' は文章の主語であることを表わす助詞。先行名詞の最後の音節にパッチムがあれば '이'、パッチムがなければ '가' が用いられる。'책이 있습니다.' は '本があります。' となり '이름이 무엇입니까?' が '名前は何ですか。' となるのは日本語では疑問詞は 'は' と一緒に使われるためである。

～이 : ～が　　**～가** : ～が

책이 있습니다.
chaegi itseumnida
本があります。

이름이 무엇입니까?
ireumi mueosimnikka
名前は何ですか。

시계가 있습니다.
sigyega itseumnida
時計があります。

나무가 있습니다.
namuga itseumnida
木があります。

③ ～은 / 는は、助詞 '～は' の意味で、パッチムがあれば '은'、なければ '는' が用いられる。例をあげると、'이름' のようにパッチムがある場合は後ろに '은' を、'저' のようにパッチムがない場合は '는' を使う。

～은 : ～は　　**～는** : ～は

제 이름은 헨리입니다.
je ireumeun henriimnida
私の名前はヘンリーです。

나라 이름은 무엇입니까?
nara ireumeun mueoshimnikka
国の名前は何ですか。

저는 나이지리아 사람입니다.
jeoneun naijiria saramimnida
私はナイジェリア人です。

수미는 한국 사람입니다.
sumineun hanguk saramimnida
スミは韓国人です。

④ '～입니다' は '～です' の意味で、名詞の後ろにつける。

～입니다 : ～です。

수미입니다.
sumiimnida
スミです。

케냐 사람입니다.
kenya saramimnida
ケニア人です。

⑤ 疑問形終結語尾 '~까?' は日本語の '~か' のように、文章の後ろについて疑問を表わす。

~입니까? : ~ですか。	**~아닙니까?** : ~ではありませんか。

어느 나라 사람입니까?
eoneu nara saramimnikka
どの国の人ですか。(お国はどちらですか。)

이름이 무엇입니까?
ireumi mueosimnikka
お名前は何ですか。

한국 사람이 아닙니까?
hanguk sarami animnikka
韓国人ではありませんか。

⑥ 質問に答えるとき、'예' (はい) と '아니오' (いいえ) を使う。

예 : はい	**아니오** : いいえ

긍정의문문[肯定疑問文]

당신은 미국 사람입니까? あなたはアメリカ人ですか。
dangshineun miguk saramimnikka

예, 미국 사람입니다. はい、アメリカ人です。
ye miguk saramimnida

아니오, 미국 사람이 아닙니다. いいえ、アメリカ人ではありません。
anio miguk sarami animnida

부정의문문[否定疑問文]

당신은 미국 사람이 아닙니까? あなたはアメリカ人ではありませんか。
dangsineun miguk sarami animnikka

아니오, 미국 사람입니다. いいえ、アメリカ人です。
anio miguk saramimnida

예, 미국 사람이 아닙니다. はい、アメリカ人ではありません。
ye miguk sarami animnida

練習問題

1 四角の中にある単語を使って次の文章を完成させなさい。

(1) **質問**：이름이 무엇이에요?
お名前は何ですか。
答え：제 이름은 헨리입니다.
私の名前はヘンリーです。

| 이수미 isumi |
| 존슨 jonseun |
| 영주 yeongju |
| 야마다 yamada |

(2) **質問**：당신은 어느 나라 사람입니까?
あなたはどの国の人ですか。(お国はどちらですか。)
答え：저는 나이지리아 사람입니다.
私はナイジェリア人です。

| 미얀마 miyanma |
| 중국 jungguk |
| 한국 hanguk |
| 러시아 reosia |

2 四角の中にある助詞を使って次の文章を完成させなさい。

은,	는,	이,	가,	을,	를
eun	neun	i	ga	eul	reul

(1) 제 이름(　　) 헨리입니다.
私の名前はヘンリーです。

(2) 책(　　) 있습니다.
本があります。

(3) 이름(　　) 무엇입니까?
名前は何ですか。

(4) 저(　　) 나이지리아 사람입니다.
私はナイジェリア人です。

(5) 당신(　　) 어느 나라 사람입니까?
あなたはどの国の人ですか。(お国はどちらですか。)

3 次の質問に対する適当な答えを書きなさい。

例

Q：당신은 미국 사람입니까?　　あなたはアメリカ人ですか。
A：예, 저는 미국 사람입니다.　　はい、私はアメリカ人です。
　 아니오, 저는 미국 사람이 아닙니다.　　いいえ、私はアメリカ人ではありません。

(1) 당신은 나이지리아 사람입니까? (예) ________________.
あなたはナイジェリア人ですか。

(2) 당신은 한국 사림입니까?　(아니오) ______________________.
あなたは韓国人ですか。

(3) 당신은 미얀마 사람입니까?　(예) ______________________.
あなたはミャンマー人ですか。

(4) 당신은 중국 사람입니까?　(예 / 아니오) ______________________.
あなたは中国人ですか。

(5) 당신은 일본 사람입니까?　(예 / 아니오) ______________________.
あなたは日本人ですか。

読み取り練習

(1) 당신의 이름은 무엇입니까?
あなたのお名前は何ですか。

(2) 제 이름은 이수미입니다.
私の名前はイ・スミです。

(3) 만나서 반갑습니다. 안녕히 계세요.
お会いできてうれしいです。さようなら。

(4) 당신은 어느 나라 사람입니까?
お国はどちらですか。

(5) 저는 한국 사람입니다.
私は韓国人です。

노란색 ○	黄色	검은색 ●	黒色
빨간색 ●	赤色	흰 색 ○	白色
파란색 ●	青色	분홍색 ●	ピンク色
보라색 ●	紫色	초록색 ●	緑色
회 색 ●	灰色	연두색 ●	黄緑色
주황색 ●	オレンジ色	하늘색 ○	水色

제 2 과

第 2 課

아버지의 직업은 무엇입니까?

お父さんの職業は何ですか。

重要表現

1. 아버지의 직업은 무엇입니까? お父さんの職業は何ですか。
   abeojiui jigeobeun mueosimnikka
2. 당신은 지금 무엇을 합니까? あなたは今、何をしていますか。
   dangsineun jigeum mueoseul hamnikka

会 話

会 話 1

수미: 당신의 가족을 소개해 주세요.
dangsinui gajogeul sogaehae juseyo
あなたの家族を紹介してください。

헨리: 아버지, 어머니, 형, 동생이 있습니다.
abeoji eomeoni hyeong dongsaeng-i itseumnida
父、母、兄、弟がいます。

수미: 아버지의 직업은 무엇입니까?
abeojiui jigeobeun mueosimnikka
お父さんの職業は何ですか。

헨리: 회사원입니다. 会社員です。
hoesawonimnida

会 話 2

수미: 당신은 지금 무엇을 합니까?
dangsineun jigeum mueoseul hamnikka
あなたは今、何をしていますか。

헨리: 저는 태평양 대학교에서 한국어를 배웁니다.
jeoneun taepyeongyang daehakgyoeseo hangugeoreul baeumnida
私は太平洋大学で韓国語を習っています。

수미: 한국어는 재미있습니까?
hangugeoneun jaemiitseumnikka
韓国語は面白いですか。

헨리: 네, 어렵지만 재미있습니다.
ne eolyeopjiman jaemiitseumnida
はい、難しいですが面白いです。

수미: 한국인 친구가 있습니까?
hangugin chin-guga itseumnikka
韓国人の友達がいますか。

헨리: 네, 많습니다.
ne mansseumnida.
はい、たくさんいます。

▪基本語彙▪

- 당신의　あなたの
- 주다/주세요　あげる
- 형　お兄さん/兄
- 회사원　会社員
- 한국어　韓国語
- 한국인　韓国人
- 많습니다　たくさんいます。
- 가족　家族
- 아버지　お父さん/父
- 동생　弟/妹
- 지금　今
- 배우다　習う
- 친구　友人/友達
- 무엇을 합니까?　何をしていますか。
- 소개하다　紹介する
- 어머니　お母さん/母
- 직업　職業/仕事
- 대학교　大学校
- 재미있다　面白い
- 적다　少ない

▪関連語彙▪

가족(家族)

할아버지
harabeoji
おじいさん/祖父

할머니
halmeoni
おばあさん/祖母

아버지
abeoji
お父さん/父

어머니
eomeoni
お母さん/母

오빠　お兄さん/お兄ちゃん
oppa (女の人のお兄さん)
형　お兄さん/お兄ちゃん
hyeong (男の人のお兄さん)

언니　お姉さん / お姉ちゃん
eonni （女の人のお姉さん）
누나　お姉さん / お姉ちゃん
nuna （男の人のお姉さん）

남동생　弟
namdongsaeng

여동생　妹
yeodongsaeng

직업(職業)

의사　医者
uisa

간호사　看護婦
ganhosa

경찰관　警察官
gyeongchalgwan

소방관　消防士
sobanggwan

아나운서　アナウンサー
anaunseo

가수　歌手
gasu

▪重要文型▪

1　所有格助詞‘～의’は名詞の後ろについて名詞の所有を表わす。

> **～의**：～の(所有格助詞)

당신의 가족
dangsinui gajok
あなたの家族

나의 직업
naui jigeop
私の職業

수미의 언니
sumiui eonni
スミのお姉さん

자연의 아름다움
jayeonui areumdaum
自然の美しさ

② 目的格助詞 '~을 / 를' は名詞の後ろについて名詞の目的を表わす。'을' は前の名詞にパッチムがある時に使い、'를' は前の名詞にパッチムがない時に使う。

가족을 : 家族を	**아버지를** : お父さんを

가족을 소개해 주세요.
gajogeul sogaehae juseyo
家族を紹介してください。

아버지를 소개해 주세요.
abeojireul sogaehae juseyo
お父さんを紹介してください。

[参考] 日本語で '~に乗る' '~을 / 를 타다'、'~に会う' '~을 / 를 만나다'、'~が出来る' '~을 / 를 할 수 있다' などの場合の助詞 'に' や 'が' も韓国語では '을' や '를' で表わす。
例) 韓国語が出来る。한국어를 할 수 있다.

③ '무엇' は '何' という意味で、文末に '까?(か)' と共に使って疑問文を作る。

무엇을 합니까? : 何をしていますか。

지금 무엇을 합니까?
jigeum mueoseul hamnikka
今、何をしていますか。

당신은 무엇을 합니까?
dangsineun mueoseul hamnikka
あなたは何をしていますか。

친구는 무엇을 합니까?
chin-guneun mueoseul hamnikka
友達は何をしていますか。

④ 名詞の後ろの '~だ' は '~이다' '~다'、'~입니다' は '~です'，その疑問文は '입니까?' 'ですか' である。また、存在の有無を表わす 'いる / ある' は '있다'、'います / あります' は '있습니다'、その疑問文 '있습니까?' は 'いますか / ありますか' である。

~ㅂ니다 / 습니다. : ~です。
~ㅂ니까? / 습니까? : ~ますか。/ ~ますか。

이다 だ。
ida

입니다 です。
imnida

있다 ある / いる。
itda

있습니다 あります / います。
itseumnida

입니까? ですか。
imnikka

있습니까? ありますか/いますか。
itseumnikka

[参考] 形容詞と動詞の後ろの 'です / ます' は 'ㅂ니다 / 습니다' で、パッチムがなければ 'ㅂ니다.' パッチムがあれば '습니다' になる。

例) 먹다. 食べる。
meokda

먹습니다. 食べます。
meokseumnida

깨끗하다. きれいだ。
kkaekkeutada

깨끗합니까? きれいですか。
kkaekkeutamnikka

⑤ 人称代名詞ー「わたくし」は「저」、「わたし」「俺」「僕」は「나」であり、「あなた」は「당신」、「お前」「君」は「너」である。また、「～達」「～ら」は「～들」で複数を表わす。

	インフォーマル	フォーマル	インフォーマルの複数	フォーマルの複数
一人称	나 na	저 jeo	우리들 urideul	저희들 jeohuideul
二人称	너 neo	당신 dangsin	너희들 neohuideul	당신들 dangsindeul
三人称	그 geu	그분 geubun	그들 geudeul	그분들 geubundeul

⑥ 「～지만」は日本語の「～が」「～けど」にあたり、後ろに逆接的な文、または節が来る。

～지만：～が / ～けど

어렵지만 재미있습니다. 難しいですが、面白いです
eoryeopjiman jaemiitseumnida

힘들지만 재미있습니다. 大変ですが、面白いです。
himdeuljiman jaemiitseumnida

練習問題

1 例の単語を使って文章を完成させなさい。(1)～(4)

(1) 아버지의 직업은 무엇입니까? お父さんの職業は何ですか。

例

어머니 eomeoni 할아버지 harabeoji 할머니 halmeoni 형 hyeong 동생 dongsaeng

(2) 아버지의 직업은 의사입니다. 父の職業は医者です。

선생님 seonsaengnim 운전기사 unjeongisa 회사원 hoesawon
경찰관 gyeongchalgwan 소방관 sobanggwan

(3) 한국어는 재미있습니까? 韓国語は面白いですか。

例
중국어 junggugeo 영어 yeong-eo 일본어 ilboneo 미얀마 어 miyanmaeo 러시아 어 reosiaeo

(4) 친구가/이 많습니다. 友達がたくさんいます。

例
나라 nara 형 hyeong 가족 gajok 회사 hoesa 동생 dongsaeng

2 例を見て下の文章を変えなさい。

例
회사원이다. → 회사원입니다. 会社員だ。 → 会社員です。

한국어를 배우다. → ________________

동생이 있다. → ________________

재미있다. → ________________

많다. → ________________

読み取り練習

(1) 형의 직업은 무엇이에요?
お兄さんの職業は何ですか。

(2) 헨리, 지금 무엇을 해요? ヘンリー、今、何をしていますか。

(3) 저는 태평양 대학교에서 한국어를 배워요.
私は今、太平洋大学校で韓国語を習っています。

(4) 저는 한국인 친구가 많습니다. 私は韓国人の友達がたくさんいます。

(5) 한국어는 재미있습니다. 韓国語は面白いです。

제 3 과

第 3 課

어디 있어요? どこにありますか。

重要表現

1. 화장실이 어디 있어요? お手洗いはどこにありますか。
hwajangsiri eodi isseoyo
2. 약국 오른쪽에 있어요. 薬局の右側にあります。
yakguk oreunjjoge isseoyo

会 話

会 話 1

헨리: 실례합니다. 화장실이 어디 있어요?
sillyehamnida hwajangsiri eodi isseoyo
すみません。お手洗いはどこにありますか。

남자: 저기 약국이 보여요?
jeogi yakgugi boyeoyo
あそこの薬局が見えますか。

헨리: 네, 보여요.
ne, boyeoyo
はい、見えます。

남자: 약국 오른쪽에 있어요.
yakguk oreunjjoge isseoyo
薬局の右側にあります。

헨리: 고맙습니다.
gomapseumnida
ありがとうございます。

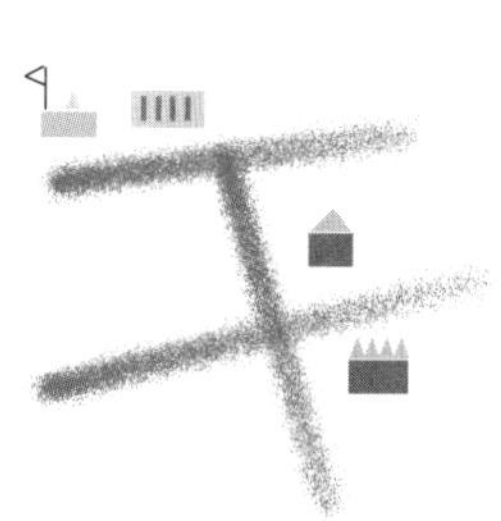

会 話 2

헨리: 실례합니다. 경찰서가 어디 있어요?
sillyehamnida gyeogchalseoga eodi isseoyo
すみません。 交番はどこにありますか。

지갑을 잃어버렸어요.
jigabeul ireobeoryeosseoyo
お財布をなくしてしまいました。

남자: 저 쪽으로 한 블록 가세요.
jeo jjogeuro han beulleok gaseyo
あちらへ1ブロック行ってください。

대한 슈퍼 옆에 있어요.
daehan syupeo yeope isseoyo
デハンスーパーのとなりにあります。

헨리: 감사합니다.
gamsahamnida
ありがとうございます。

■基本語彙■

- 오른쪽 右側
- 이 쪽 こちら
- 슈퍼 スーパー
- 지갑 財布
- 있다 ある/いる
- 잃어버리다 なくしてしまう
- 있어요? ありますか/いますか
- 감사합니다 ありがとうございます。
- 가다/가세요 行く/行ってください
- 왼쪽 左側
- 저 쪽 あちら
- 어디 どこ
- 약국 薬局
- 저기 あそこ
- 보다 見る
- 잃어버렸어요 なくしてしまいました。
- 고맙습니다 ありがとうございます。
- 옆에 となりに
- 블록 ブロック
- 경찰서 交番
- 화장실 お手洗い
- 한(하나) 一
- 실례합니다 すみません。

■関連語彙■

방향에 관한 단어 (方向に関する単語)

왼쪽 左・左側
oenjjok

오른쪽 右・右側
oreunjjok

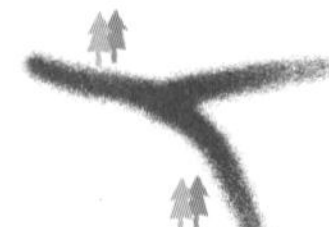
저 쪽 あちら
jeojjok

이 쪽 こちら
ijjok

위치에 관한 단어 (位置に関する単語)

앞 前
ap

뒤 後ろ
dwi

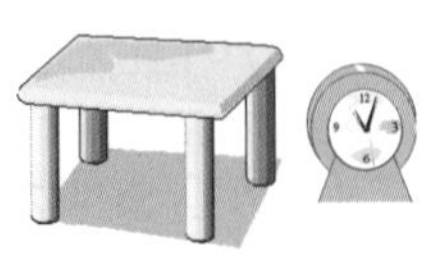
옆 横、そば、隣
yeop

위 上
wi

아래 下
arae

안 中
an

▪重要文型▪

① '~어 / 아요' は '~です' '~ます' の意味で、'요?' のように後ろに '?' だけをつけても '~까?' のように疑問文になる。

~ 있다/있어요? : ある。/ありますか。 **보이다/보여요?** : 見える。/見えますか。

화장실이 어디 있어요?
hwajangsiri eodi isseoyo
お手洗いはどこにありますか。

약국이 보여요?
yakgugi boyeoyo
薬局が見えますか。

[参考] '화장실이 어디 있어요?' が 'お手洗いはどこにありますか。' となり '약국이 보여요?' が '薬局が見えますか。' となるのは日本語では 'は' は疑問詞と一緒に使われるためである。

② '어디' は 'どこ' のように場所や方向を聞く時に使う。

어디 있어요? : どこにありますか。

어디 있어요?
eodi isseoyo
どこにありますか。

어디 가세요?
eodi gaseyo
どこに行きますか。

③ '~어 / 아요' と '~ㅂ니다 / 습니다' は '~です / ます' に該当する丁寧な表現で、'~어 / 아요' は一般的に良く使う柔らかい丁寧語であり、'~ㅂ니다 / 습니다' は格式を備えた丁寧な表現で、上司など目上の人に使う言葉である。

~ 있어요. : あります。

오른쪽에 있어요.
oreunjjoge isseoyo
右側にあります。

슈퍼 앞에 있어요.
syupeo ape isseoyo
スーパーの前にあります。

④ 挨拶の言葉

고맙습니다. : ありがとうございます。 **좋습니다.** : いいです。
감사합니다. : ありがとうございます。(感謝いたします。)
실례합니다. : すみません。
괜찮습니다. : 大丈夫です。/構いません。/いいです。

⑤ '~어' は二つの動詞を連結して複合動詞を作る時に使う。また、'~었' は過去時制を現わす。

~ 잃어버리다 / 잃어버렸어요. : なくしてしまう。/ なくしてしまいました。

잃다 + 버리다 → 잃어버리다　なくしてしまう。
ilta + beorida　　ireobeorida

잃어버리 + 었 + 어요 → 잃어버렸어요　なくしてしまいました。
ireobeori + eot + eoyo　　ireobeoryeosseoyo

죽다 + 버리다 → 죽어버리다　死んでしまう。
jukda + beorida　　jugeobeorida

죽어버리 + 었 + 어요 → 죽어버렸어요　死んでしまいました。
jugeobeori + eot + eoyo　　jugeobeoryeosseoyo

⑥ '~시' は尊敬語を作る時に使う。

가다 / 가세요. : 行く。/ 行って下さい。

가(다) + 시 + 어요 → 가세요　行ってください。
gaseyo

오(다) + 시 + 어요 → 오세요　来てください。
oseyo

練習問題

1 四角の中の単語を下線に入れなさい。

例

- 강의실　講義室
- 은행　銀行
- 지하철　地下鉄
- 백화점　デパート
- 모텔　モーテル
- 공장　工場
- 공중전화　公衆電話
- 사무실　事務室
- 병원　病院
- 우체국　郵便局
- 공원　公園
- 버스정류장　バス停
- 편의점　コンビニエンスストア
- 동사무소　行政区画の一つである洞(동)の役所

(1) ＿＿＿＿＿이/가 어디 있어요?　＿＿＿＿＿이/가 어디 있어요?
(2) ＿＿＿＿＿이/가 어디 있어요?　＿＿＿＿＿이/가 어디 있어요?
(3) ＿＿＿＿＿이/가 어디 있어요?　＿＿＿＿＿이/가 어디 있어요?
(4) ＿＿＿＿＿이/가 어디 있어요?　＿＿＿＿＿이/가 어디 있어요?

練習問題

2 下線に方向を表わす単語を入れなさい。

(1) ____________에 있어요.　　(2) ____________에 있습니다.

(3) ____________에 있어요.　　(4) ____________에 있습니다.

(5) ____________에 있어요.　　(6) ____________에 있습니다.

3 下線に位置を表わす単語を入れなさい。

(1) ____________에 있어요.　　(2) ____________에 있습니다.

(3) ____________에 있어요.　　(4) ____________에 있습니다.

(5) ____________에 있어요.　　(6) ____________에 있습니다.

4 下線に適当な単語を入れなさい。

가: 공원이 ________________?　　가: ____________이 어디 있어요?

나: ______________에 있어요.　　나: 왼쪽에 __________________.

読み取り練習

(1) 공원이 어디 있어요? 公園はどこにありますか。

(2) 저 쪽으로 가세요. あちらへ行ってください。

(3) 슈퍼 오른쪽에 있어요. スーパーの右側にあります。

(4) 가방을 잃어버렸어요. かばんをなくしてしまいました。

(5) 경찰서 앞에 있어요. 交番の前にあります。

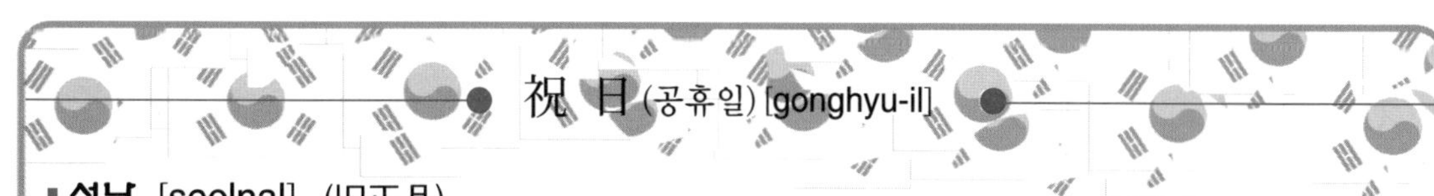

▪ **설날** [seolnal] (旧正月)

陰暦で１月の初めに公休日をお正月(설)と呼び、韓服(한복)という伝統的な服を着て、先祖に感謝する伝統的な儀式(차례)を行う。

▪ **3·1절** [samiljeol] (万歳運動記念日)

1919年3月1日に起きた日本による植民地支配に対する独立運動を記念する日である。

▪ **식목일** [sikmogil] (緑の日)

豊かな森を作るためにこの日に植林をする。

▪ **어린이날** [eorininal] (子供の日)

子供のためにいろいろな催しをする日である。公園や動物園、テーマパークなどでは着飾った子供たちでにぎわっている。

▪ **석가탄신일** [seokgatansinil] (釈迦誕生日)

釈迦誕生を祝う儀式が行われる。全国の寺院や街頭に蓮灯(蓮の形をした提灯)を飾り、夜にはパレード等が行われる。

▪ **광복절** [gwangbokjeol] (光復節)

1945年、日本の無条件降伏により韓国は長い植民地支配から解放され、自由を取り戻したことを記念する日である。

▪ **추석** [chuseok] (お盆)

お正月と同じく一年で最も重要で伝統的な公休日である。人々は先祖の墓参りをし、その年に穫れた果物や穀物などをお供えし、伝統的な儀式を行う。また、この日は自然の恵みに感謝をする収穫記念日でもある。

▪ **크리스마스** [keurismas] (クリスマス)

日本とは異なり、韓国では公休日と定められている。

제 4 과

第 4 課

이것은 한국어로 무엇입니까?

これは韓国語で何ですか。

重要表現

1. 이것은 무엇입니까? これは何ですか。
   igeoseun mueosimnikka
2. 이것은 한국어로 무엇입니까? これは韓国語で何ですか。
   igeoseun hangugeoro mueosimnikka

▪会 話▪

会 話 1

헨리: 이것은 무엇입니까?
igeoseun mueosimnikka
これは何ですか。

수미: 그것은 운동화입니다.
geugeoseun undonghwaimnida
それは運動靴です。

헨리: 그러면, 저것은 무엇이에요?
geureomyeon jeogeoseun mueosieyo
それでは、あれは何ですか。

수미: 가방입니다. かばんです。
gabang-imnida

헨리: 가방이 예쁘군요. かばんがかわいいですね。
gabang-i yeppeugunyo

会 話 2

헨리: 이것은 한국어로 무엇입니까?
igeoseun hangugeoro mueosimnikka
これは韓国語で何ですか。

수미: 목걸이입니다. 「목걸이」です。
mokgeoriimnida

헨리: 이것은 한국어로 바지입니까?
igeoseun hangugeoro bajiimnikka
これは韓国語で「바지」ですか。

수미: 아니오, 그것은 바지가 아닙니다.
anio geugeoseun bajiga animnida
いいえ、これは「바지」ではありません。

치마입니다.
chimaimnida
「치마」です。

▪基本語彙▪

- 이것(은) これ
- 저것(은) あれ
- 무엇 何
- 이다/입니다 だ/です
- 이에요? ですか
- 무엇입니까? 何ですか
- 예쁘다 かわいい、きれいだ/かわいいですね、きれいですね
- 가방 かばん
- 그러면 それでは
- 목걸이 ネックレス
- 한국어로 韓国語で
- 한국어 韓国語
- 운동화 運動靴
- 아니오 いいえ
- 아닙니다 違います
- 치마 スカート
- 바지 ズボン

▪関連語彙▪

개인 소지품(個人所持品)

시계
sigye
時計

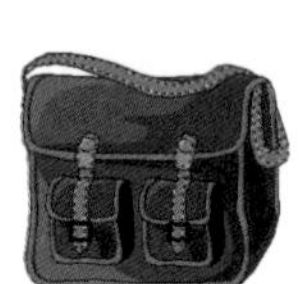

가방
gabang
かばん

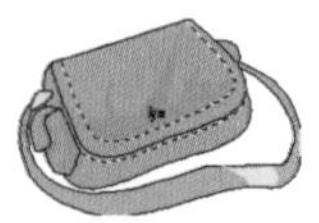

핸드백
haendbaek
ハンドバック

지갑
jigap
財布

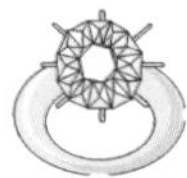

반지
banji
指輪

목걸이
mokgeori
ネックレス

팔찌
paljji
ブレスレット

신발의 종류(靴の種類)

운동화 運動靴
undonghwa

구두 靴
gudu

부츠 ブーツ
bucheu

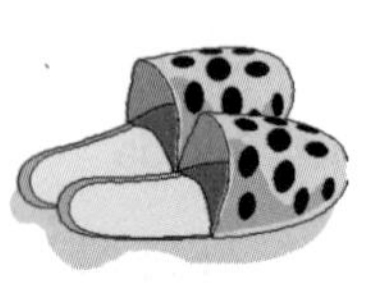

슬리퍼 スリッパ
seulripeo

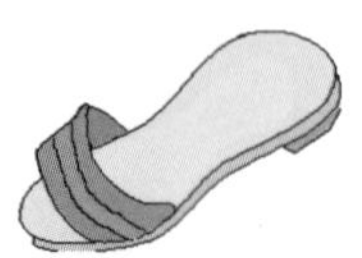

샌들 サンダル
sandeul

옷의 종류 (服の種類)

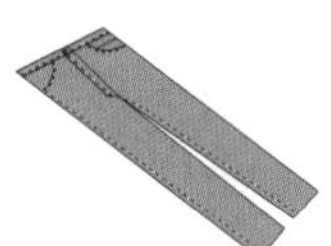

셔츠 syeocheu シャツ	바지 baji ズボン	원피스 wonpis ワンピース	투피스 tupis ツーピース	양복 yangbok スーツ	잠옷 jamot パジャマ

블라우스 beulraus ブラウス	재킷 jaekit ジャケット	치마 chima スカート	코트 kot オーバーコート	운동복 undongbok トレーニングウェア

한국의 전통 의복 (韓国の伝統的な服装)

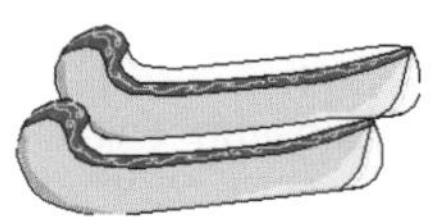

한복 hanbok 韓国の伝統的な民俗衣装	버선 beoseon 韓国の伝統的な靴下	고무신 gomusin 韓国の伝統的な靴	고름 goreum チョゴリの前で結ぶリボン

▪重要文型▪

① 指示代名詞

이것 : これ　　**그것** : それ　　**저것** : あれ

이것은 무엇입니까?
igeoseun mueosimnikka
これは何ですか。

저것은 무엇입니까?
jeogeoseun mueosimnikka
あれは何ですか。

그것은 무엇입니까?
geugeoseun mueosimnikka
それは何ですか。

② '～이에요?' は一般的な柔らかい丁寧な表現の疑問文であり、'～입니까?' は格式を備えた丁寧な表現の疑問文である。

무엇입니까? : 何ですか。　　　　**무엇이에요?** : 何でしょう。

이것은 무엇입니까?
igeoseun mueosimnikka
これは何ですか。

이것은 무엇이에요?
igeoseun mueosieyo
これは何でしょう。

③ '～ㅂ니다' の疑問文は '～ㅂ니까?' で、'～요' の疑問文は '～요?' である。前に来る単語にパッチムがない場合は '～예요' になる。

이것은 바지입니까? : これはズボンですか。
이것은 바지예요? : これはズボンですか。

이것은 바지입니다. → 이것은 바지입니까?
igeoseun bajiimnida　　igeoseun bajiimnikka
これはズボンです。　これはズボンですか。

이것은 바지예요. → 이것은 바지예요?
igeoseun bajiiyeo　　igeoseun bajiyeyo
これはズボンです。　これはズボンですか。

④ '～군' は感嘆の意味があり、話し手が実際に経験したり、現在起こりつつある事を見たり、これから起こる事を確実に推定する意味がある。'～군' の後ろに '요' をつけると丁寧語になる。

예쁘군 → 예쁘군요. : きれいだね。→ きれいですね。

예쁘다.
yeppeuda
きれいです。

예쁘군.
yeppeugun
きれいだね。

예쁘군요.
yeppeugunyo
きれいですね。

아름답다.
areumdapda
美しいです。

아름답군.
areumdapgun
美しいね。

아름답군요.
areumdapgunyo
美しいですね。

[参考] '～(는)군요' は、一般的に形容詞の後ろには '～군요'、動詞の後ろには '～는군요' をつけるが、未来を表わす '겠'、または過去を表わす '았 / 었 / 였' には '～군요' をつける。
例) 좋군요　좋겠군요　좋았군요　/　먹는군요　먹겠군요　먹었군요

⑤ '아니오' は 'いいえ' という意味で、後ろに '～ではありません。' という意味の '～이 / 가 아닙니다' が付く。パッチムがあるときは '～이 아닙니다' ないときは '～가 아닙니다' がくる。

아니오, 이것은 바지가 아닙니다. : いいえ、これはズボンではありません。

아니오, 이것은 치마가 아닙니다. いいえ、これはスカートではありません。
anio igeoseun chimaga animnida

아니오, 이것은 목걸이가 아닙니다. いいえ、これはネックレスではありません。
anio igeoseun mokgeoriga animnida

練習問題

1 例を見て、下線に適当な言葉を入れなさい。

例

Q1 : 이것은 무엇입니까? これは何ですか。
Q2 : 저것은 무엇입니까? あれは何ですか。

(1) 그것은 ____________ .(한복 韓国の伝統的な衣装)
(2) 저것은 ____________ .(색동저고리 カラフルな伝統的衣装)
(3) 그것은 ____________ .(치마 スカート)
(4) 저것은 ____________ .(버선 伝統的な靴下)

2 例を見て、下線に適当な言葉を入れなさい。

例

이것은 시계입니다. これは時計です。

(1) ________ 목걸이 ________ .
(2) ________ 반지 ________ .
(3) ________ 바지 ________ .
(4) ________ 치마 ________ .
(5) ________ 운동화 ________ .
(6) ________ 가방 ________ .

3 例を見て、下線に適当な言葉を入れなさい。

例

ペン은 한국어로 무엇입니까? ペンは韓国語で何ですか。

(1) スカート는 한국어로 ________ .
(2) ズボン은 한국어로 ________ .
(3) ネックレス는 한국어로 ________ .
(4) かばん은 한국어로 ________ .

4 例のように疑問文に変えなさい。

> **例**
> 이것은 한국어로 운동화입니다.　　これは韓国語で운동화です。
> → 이것은 한국어로 운동화입니까?　　これは韓国語で운동화ですか。

(1) 이것은 한국어로 컴퓨터입니다. これは韓国語で컴퓨터です。

→ ______________________________

(2) 이것은 한국어로 프린터입니다. これは韓国語で프린터です。

→ ______________________________

(3) 이것은 한국어로 모니터입니다. これは韓国語で모니터です。

→ ______________________________

(4) 이것은 한국어로 키보드입니다. これは韓国語で키보드です。

→ ______________________________

5 下の文章を否定形に変えなさい。

(1) 이것은 치마입니다. これはスカートです。

→ ______________________________

(2) 이것은 바지입니다. これはズボンです。

→ ______________________________

(3) 이것은 재킷입니다. これはジャケットです。

→ ______________________________

(4) 이것은 양복입니다. これはスーツです。

→ ______________________________

読み取り練習

(1) 이것은 운동화입니다.　これは運動靴です。

(2) 저것은 컵이 아닙니다.　あれはコップではありません。

(3) 이것은 한국어로 무엇입니까?　これは韓国語で何ですか。

(4) 저것은 접시, 포크, 나이프입니다.　あれはお皿、フォーク、ナイフです。

(5) 이 접시는 참 예쁘군요.　あのお皿はとてもきれいですね。

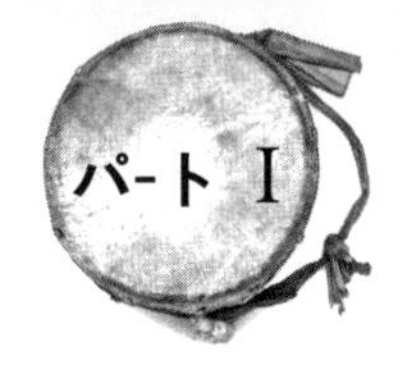

제 5 과

第5課

어느 계절을 좋아해요?

どの季節が好きですか。

重要表現

1. 어느 계절을 좋아해요? どの季節が好きですか。
   eoneu gyejeoreul joahaeyo
2. 오늘은 날씨가 흐리군요. 今日は曇っていますね。
   oneureun nalssiga heurigunyo

■会 話■

会 話 1

수미: 헨리 씨는 어느 계절을 좋아해요?
henri ssineun eoneu gyejeoreul joahaeyo
ヘンリーさんはどの季節が好きですか。

헨리: 가을을 좋아해요.
gaeureul joahaeyo
秋が好きです。

가을은 시원해요.
gaeureun siwonhaeyo
秋は涼しいです。

수미: 어느 계절을 싫어해요?
eoneu gyejeoreul sireohaeyo
どの季節が嫌いですか。

헨리: 겨울을 싫어해요.
gyeoureul sireohaeyo
冬が嫌いです。

겨울은 추워요.
gyeoureun chuwoyo
冬は寒いです。

会 話 2

수미: 오늘은 날씨가 흐리군요.
oneureun nalssiga heurigeunyo
今日は曇っていますね。

헨리: 비가 올 것 같아요.
biga ol geot gatayo
雨が降りそうですね。

수미: 우산 가져왔어요?
usan gajyeowasseoyo
傘を持ってきましたか。

헨리: 네, 가져왔어요.
ne gajyeowasseoyo
はい、持ってきました。

일기 예보를 보았어요.
ilgi yeboreul boasseoyo
天気予報を見ました。

▪基本語彙▪

- 어느 どこ
- 좋아해요 好きです。
- 춥다 寒い
- 오늘 今日
- 비 雨
- 가을 秋
- 시원하다 爽やかだ / 涼しい
- 흐리다 曇る
- 우산 傘
- 계절 季節
- 덥다 暑い
- 날씨 天気
- 겨울 冬
- 싫어해요 嫌いです。
- 일기예보 天気予報
- 보다/보았어요 見る / 見ました。
- 가져오다/가져왔어요 持ってくる / 持って来ました。
- ~(으)ㄹ 것 같아요 ~そうです。/ ようです。(様態)

▪関連語彙▪

계절(季節)

봄 春
bom

여름 夏
yeoreum

가을 秋
gaeul

겨울 冬
gyeoul

날씨(天気)

해 太陽
hae

맑음 晴れ
malgeum

구름 雲
gureum

흐림 曇り
heurim

비 雨
bi

눈 雪
nun

■重要文型■

① '어느' は 'どの' という意味の指示代名詞である。

> **어느** : どの

어느 계절을 좋아해요?
eoneu gyejeoreul joahaeyo
どの季節が好きですか。

어느 모자를 좋아해요?
eoneu mojareul joahaeyo
どの帽子が好きですか。

② '았 / 었 / 였' : 出来事や状態が過去である事をあらわす。'아'、'오' 母音の後ろには '았' がきて、'아'、'오' の以外の母音の後ろには '었' がくる。また、'였' は '하다' 動詞に用いられる。

> **~았 / 었 / 였** : 과거시제 (過去時制)

보았어요. 見ました。
boasseoyo

알았어요. わかりました。
arasseoyo

먹었어요. 食べました。
meogeosseoyo

배웠어요. 習いました。
baewosseoyo

하였어요. しました。
hayeosseoyo

[参考] '배웠어요' の '웠' は '배우다' の '우' と過去を表わす '었' である。(우+었=웠)

③ '~것 같다' は話し手の意見や推測、未確認の意味を表わす。

> **~것 같다 / ~것 같아요** : ~そうです。/ ~ようです。

비가 올 것 같아요.
biga ol geot gatayo
雨が降りそうです。

눈이 올 것 같아요.
nuni ol geot gatayo
雪が降りそうです。

존이 한 것 같아요.
joni han geot gatayo
ジョンがしたようです。

④ '～(으)ㄹ 것 같다' は未来の行動に対する推測や状態に対する未確認の意味を表わす。
'～(으)ㄴ 것 같다' は過去の行動に対する推測や状態に対する未確認の意味を表わす。

올 것 같아요. : 降りそうです。
온 것 같아요. : 降ったようです。

비가 올 것 같아요.
biga ol geot gatayo
雨が降りそうです。

비가 온 것 같아요.
biga on geot gatayo
雨が降ったようです。

⑤ 季節に関わる表現

봄은 따뜻합니다.
bomeun ttatteuthamnida
春は暖かいです。

여름은 덥습니다.
yeoreumeun deopseumnida
夏は暑いです。

가을은 시원합니다.
gaeureun siwonhamnida
秋は涼しいです。

겨울은 춥습니다.
gyeoureun chupsseumnida
冬は寒いです。

⑥ 天気に関わる表現

비가 옵니다.
biga omnida
雨が降ります。

눈이 옵니다.
nuni omnida
雪が降ります。

바람이 붑니다.
barami bumnida
風が吹きます。

천둥이 칩니다.
cheondung-i chimnida
雷が鳴ります。

⑦ '～씨' は 'さん' という意味で、大人の名前の後ろにつける。子供には付けないようにする。

수미 씨
sumi ssi
スミさん

헨리 씨
henri ssi
ヘンリーさん

[参考] 日本語では"山田さん" "田中さん"のように名字に 'さん' をつけて呼ぶが、これを韓国語で '김 씨' '박 씨' のように言うと失礼になることがある。普通、'이미선 씨' のようにフルネームを呼ぶか、親しくなったら '미선 씨' のように呼ぶ。

練習問題

1 質問に答えなさい。

例

Q 1 : 당신은 어느 계절을 좋아해요? あなたはどの季節が好きですか。
Q 2 : 당신은 어느 계절을 싫어해요? あなたはどの季節が嫌いですか。

저는

봄
여름
가을
겨울

을 좋아해요.
私は (　　　　)が好きです。

을 싫어해요.
私は (　　　　)が嫌いです。

2 例を見て下の質問に答えなさい。

例

Q : 오늘 날씨가 어때요?(춥다) 今日の天気はどうですか。
Q : 오늘 날씨는 추워요. 今日の天気は寒いです。

(1) 흐리다 曇る
(2) 덥다 暑い
(3) 비가 오다 雨が降る
(4) 맑다 晴れる
(5) 눈이 오다 雪が降る

3 例のように下の単語を使って文章を完成させなさい。

例

Q : 우산을 가져왔어요? (우산) 傘を持ってきましたか。

(1) 책 本
(2) 가방 かばん
(3) 펜 ボールペン
(4) 시계 時計
(5) 휴지 ティッシュ

4 下の文章を過去形に直しなさい。

(1) 일기 예보를 보다.
天気予報を見る。

(2) 밥을 먹다.
ご飯を食べる。

(3) 학교에 가다.
学校へ行く。

(4) 가을을 좋아하다.
秋が好きだ。

(5) 친구를 만나다.
友だちに会う。

読み取り練習

(1) 어느 계절을 좋아해요?
どの季節が好きですか。

(2) 오늘은 날씨가 흐리군요.
今日は曇っていますね。

(3) 여름은 너무 더워요.
夏はとても暑いです。

(4) 우산을 가져왔어요.
傘を持ってきました。

(5) 저는 겨울을 싫어해요.
私は冬が嫌いです。

제 6 과

第 6 課

생일이 언제예요? 誕生日はいつですか。

重要表現

1. 오늘은 금요일이에요. 今日は金曜日です。
   oneureun geumyoirieyo
2. 제 생일은 5월 23일이에요. 私の誕生日は5月23日です。
   je saeng-ireun owol isipsamirieyo

■会 話■

会 話 1

헨리: 어제는 무엇을 했어요?
eojeneun mueoseul haesseoyo
昨日は何をしましたか。

수미: 어제는 도서관에서 공부를 했어요.
eojeneun doseogwaneseo gongbureul haesseoyo
昨日は図書館で勉強をしました。

헨리: 오늘은 무슨 요일이에요?
oneureun museun yoirieyo
今日は何曜日ですか。

수미: 오늘은 금요일이에요.
oneureun geumyoirieyo
今日は金曜日です。

헨리: 내일은 학교에 갈 거예요?
naeireun hakgyoe gal geoyeyo
明日は学校に行きますか。

수미: 아니오, 내일은 집에 있을 거예요.
anio naeireun jibe isseul geoyeyo
いいえ、明日は家にいるつもりです。

5월

일 (SUN)	월 (MON)	화 (TUE)	수 (WED)	목 (THU)	금 (FRI)	토 (SAT)
	1	2	3	4	5	6
7	8	9	10	11	12	13
14	15	16	17	18	19	20
21	22	23	24	25	26	27
28	29	30	31			

会 話 2

수미: 수미 씨, 생일이 언제예요?
sumi ssi saeng-iri eonjeyeyo
スミさん、誕生日はいつですか。

수미: 제 생일은 5월 23일이에요.
je saeng-ireun owol isipsamirieyo
私の誕生日は5月23日です。

헨리: 모레군요. 우리 생일 파티해요.
moregunnyo. uri saeng-il patihaeyo
あさってですね。バースデーパーティーをしましょう。

수미: 모레 저녁 7시에 우리 집에 오세요.
more jeonyeok ilgopsie uri jibe oseyo
あさって夕方7時に私の家に来て下さい。

▪基本語彙▪

- 어제 昨日
- 무슨, 무엇 何の
- 언제 いつ
- 일 / 요일 日 / 曜日
- 내일 明日
- ～에서 で(場所)
- 집 家
- 금요일 金曜日
- 오다 / 오세요 来る / 来てください
- 우리 ～해요 私達～しましょう。
- ～에 へ / に(場所)
- 생일 파티 バースデーパーティー
- 7시 7時
- 도서관 図書館
- 갈 거예요? 行くつもりですか。
- 오늘 今日
- 5월 5月
- 아니오 いいえ
- 모레 あさって
- 23일 23日
- 저녁 夕方
- 우리 私達
- 학교 学校
- 공부 勉強
- 생일 誕生日

▪関連語彙▪

요일 및 날의 이름(日)

일요일 iryoil	월요일 woryoil	화요일 hwayoil	수요일 suyoil	목요일 mogyoil	금요일 geumyoil	토요일 toyoil
日曜日	月曜日	火曜日	水曜日	木曜日	金曜日	土曜日

그저께(geujeokke)	おととい
어제(eoje)	昨日
오늘(oneul)	今日
내일(naeil)	明日
모레(more)	あさって

달의 이름(月)

1월	一月	일월(irwol)	7월	七月	칠월(chirwol)
2월	二月	이월(iwol)	8월	八月	팔월(parwol)
3월	三月	삼월(samwol)	9월	九月	구월(guwol)
4월	四月	사월(sawol)	10월	十月	시월(siwol)
5월	五月	오월(owol)	11월	十一月	십일월(sibirwol)
6월	六月	유월(yuwol)	12월	十二月	십이월(sibiwol)

▪重要文型▪

① '何' という意味は '무슨' と '무엇' があり、'무슨' は後ろに名詞がくる時、'무엇' は後ろに叙述語がくる時使う。

무슨 요일이에요? : 何曜日ですか。

이것은 무엇입니까?
igeoseun mueosimnikka
これは何ですか。

오늘은 무슨 요일이에요?
oneureun museun yoirieyo
今日は何曜日ですか。

② '~이에요 / 예요' は '~이다' の丁寧語である。'~이에요' は前にパッチムがくるとき使い、'~예요' は前に母音がくるとき使う。

언제예요? : いつですか。　**23일이에요.** : 23日です。

생일이 언제예요?
saeng-iri eonjeyeyo
誕生日はいつですか。

제 생일은 5월 23일이에요.
je saeng-ireun owol isipsamirieyo
私の誕生日は5月23日です。

③ '거 / 것' の場合、未来を表わす '거' は後ろに叙述語 '예요' '~ㅂ니다' がきて、'것' は後ろに '이에요' '입니다' がくる。'~ㄹ 거예요' は '~つもりです' の意味を表わす。

학교에 갈 거예요. : 学校に行くつもりです。

집에 갈 거예요. (갈 것입니다.)
jibe gal geoyeyo
家に行くつもりです。

집에 있을 거예요. (있을 것입니다.)
jibe isseul geoyeyo
家にいるつもりです。

공부를 할 거예요. (할 것입니다.)
gongbureul hal geoyeyo
勉強をするつもりです。

저녁을 먹을 거예요. (먹을 것입니다.)
jeonyeogeul meogeul geoyeyo
夕飯を食べるつもりです。

4 '언제' は 'いつ' という意味である。

생일은 언제예요? : 誕生日はいつですか。

파티는 언제예요?
patineun eonjeyeyo
パーティーはいつですか。

방학은 언제예요?
banghageun eonjeyeyo
(学校の)休みはいつですか。

5 '~에서' は動詞を行う場所や空間的な出発點を表わす場合に使い、 '~에' は動作の移動を表わす動詞と共に用いられて移動の到着点を、時間を表わす場合は名詞に付いて時間的な範囲を表わす場合に使う。

도서관에서 図書館で
doseogwaneseo

학교에 学校に
hakgyoe

집에 家に
jibe

7시에 7時に
ilgopsie

[参考] ~에서 '~で' (場所)
'~から' (場所と時間)
~에서 '~へ(場所)'
'~に(場所と時間' を表わす。
학교에서 공부를 합니다. 学校で勉強をします。
7시에서(부터) 8시까지는 한가합니다. 7時から8時までは暇です。
학교에서 집까지 멉니까? 学校から家まで遠いですか。
일요일에는 도서관에 갑니다. 日曜日は図書館へ行きます。
7시에 서울역에서 만납시다. 7時にソウル駅で会いましょう。

6 '우리 ~動詞+요' は '私達~ましょう' と言う意味で、提案や勧誘するときに使う。

우리 ~ 動詞 + 요 : 私達 + ~ましょう。

우리 생일 파티해요.
uri saeng-il patihaeyo
私達、バースデーパーティーをしましょう。

우리 학교에 가요.
uri hakgyoe gayo
私達、学校へ行きましょう。

우리 집에 가요.
uri jibe gayo
私達、家に行きましょう。

우리 텔레비전 봐요.
uri tellebijyeon bwayo
私達、テレビを見ましょう。

[参考] 日本語と同じように '우리' を使わず、 '動詞+요' だけでもいい。

練習問題

1 例のように下の単語を利用して答えなさい。(1)～(2)

(1)

例

Q : 오늘은 무슨 요일입니까? (화요일)　　今日は何曜日ですか。
A : 오늘은 화요일입니다.　　今日は火曜日です。

① 월요일　月曜日　　② 수요일　水曜日
③ 일요일　日曜日　　④ 토요일　土曜日
⑤ 금요일　金曜日

(2)

例

Q : 내일은 어디에 갈 거예요? (학교)　　明日はどこに行くつもりですか。(学校)
A : 학교에 갈 거예요.　　学校に行くつもりです。

① 친구 집　私の友達の家　　② 도서관　図書館
③ 회사　会社　　④ 교회　教会
⑤ 시장　市場

2 下の単語を使って文章を完成させなさい。

例

Q : 생일은 언제예요?　　誕生日はいつですか。
A : 제 생일은 (　　　　)이에요.　　私の誕生日は(　　　　)です。

(1) 5월 23일　(2) 1월 12일　(3) 2월 5일　(4) 12월 31일
(5) 3월 7일　(6) 10월 17일　(7) 8월 28일

3 下の文章を否定文に変えなさい。

(1) 학교에 가다.　学校へ行く。
(2) 친구를 만나다.　友達に会う。
(3) 주스를 마시다.　ジュースを飲む。

(4) 한국어를 배우다. 韓国語を習う。

[参考] 動詞の否定は二つがあり、'～안＋動詞' '動詞＋～지 않다' と、'～못＋動詞' '～지 못하다' がある。(第7課 表現文型参考)
'영주는 학교에 가지 않았습니다.' や '영주는 학교에 안 갔습니다.' は、'ヨンジュは学校へ行きませんでした。' という意味で、主体の意志による行動の否定を意味し、'영주는 학교에 가지 못했습니다.' や '영주는 학교에 못 갔습니다.' の場合は、'ヨンジュは学校へ行けませんでした。' という意味で、能力不足や外的な原因のため、その行為が行われないという意味になる。

4 例の文型を使って文章を作りなさい。

우리 ～ 動詞 + 요 (～ましょう)

(1) 생일 파티하다. バースデーパーティーをする。

(2) 공부하다. 勉強をする。

(3) 학교에 가다. 学校に行く。

(4) 도서관에 가다. 図書館に行く。

(5) 집에 있다. 家にいる。

読み取り練習

(1) 어제는 집에서 공부를 했어요.
昨日は家で勉強をしました。

(2) 오늘은 수요일입니다.
今日は水曜日です。

(3) 주말에는 무엇을 합니까?
週末は何をしますか。

(4) 생일이 내일이에요.
誕生日は明日です。

(5) 모레 아침 10시에 우리 집에 오세요.
あさっての朝10時に私の家に来てください。

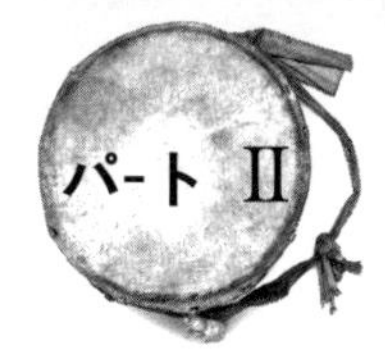

제 7 과
第7課
몇 개 있어요? いくつありますか。

重要表現

1. 펜이 몇 개 있어요? ペンは何本ありますか。
peni myeot gae isseoyo

2. 친구가 몇 명 있어요? 友達は何人いますか。
chin-guga myeot myeong isseoyo

■会 話■

会 話 1

인　수: 펜을 안 가져왔어요.
peneul an gajyeowasseoyo
ペンを持ってきませんでした。

펜이 몇 개 있어요?
peni myeot gae isseoyo
ペンは何本ありますか。

요시코: 두 자루 있어요. 빌려 드릴까요?
du jaru isseoyo billyeo deurilkkayo
2本あります。お貸ししましょうか。

인　수: 한 개 빌려 주세요.
han gae billyeo juseyo
1本貸してください。

요시코: 여기 있어요. 파란색이에요. はい、どうぞ。 青色です。
yeogi isseoyo paransaekieyo

인　수: 고마워요. ありがとう。
gomawoyo

会 話 2

수　미: 요시코 씨, 한국인 친구가 몇 명 있어요?
yosiko ssi han-gugin chin-guga myeot myeong isseoyo
よし子さん、韓国人の友達は何人いますか。

요시코: 다섯 명 있어요.
daseot myeong isseoyo
5人います。

수　미: 남자 친구도 있어요?
namja chin-gudo isseoyo
男の友達もいますか。

요시코: 네, 남자 친구도 두 명 있어요.
ne namja chin-gudo du myeong isseoyo
はい、男の友達も2人います。

여자 친구는 세 명이에요.
yeoja chin-guneun se myeong-ieyo
女の友達は3人います。

수　미: 친구가 많아서 좋겠어요.
chin-guga manaseo jokesseoyo
友達が多くていいですね。

▪基本語彙▪

- 몇 개　いくつ
- 가져오다　持ってくる
- 여기　ここ
- 고마워요　ありがとう。
- 친구　友人/友達
- 많다　多い
- 펜　ペン
- 좋겠어요　いいですね。
- 여기 있어요　どうぞ。
- 한국인　韓国人
- 남자 친구　男の友達
- 다섯 명　5人
- 안　～ない
- 빌려 주세요　貸して下さい。
- 파란색　青色
- 몇 명　何人
- 여자 친구　女の友達
- 두 명　2人
- 빌려 주다 / 빌려 드리다　貸してあげる/お貸しします。

▪関連語彙▪

〈数詞〉：韓国の数詞は、純韓国語数詞と漢字語数詞の2種類があるので使い分けに注意しなくてはならない。

1	일 il	하나(한) hana(han)	8	팔 pal	여덟 yeodeol
2	이 i	둘 (두) dul(du)	9	구 gu	아홉 ahop
3	삼 sam	셋 (세) set(se)	10	십 sip	열 yeol
4	사 sa	넷 (네) net(ne)	100	백 baek	백 baek
5	오 o	다섯 daseot	1,000	천 cheon	천 cheon
6	육 yuk	여섯 yeoseot	10,000	만 man	만 man
7	칠 chil	일곱 ilgop			

▪重要文型▪

① '몇' の後ろに '개' をつけて物を数える時に使う。'몇 개' は 'いくつ' という意味である。

몇 개 있어요?：いくつありますか。

펜이 몇 개 있어요?
peni myeot gae isseoyo
ペンはいくつありますか。

연필이 몇 개 있어요?
yeonpiri myeot gae isseoyo
鉛筆はいくつありますか。

[参考]　物つ数え方

	紙、Tシャツ	動物	本	人	鉛筆	コーヒー(飲み物)	果物など
1	한 장	한 마리	한 권	한 명	한 자루	한 잔	한 개
2	두 장	두 마리	두 권	두 명	두 자루	두 잔	두 개
3	세 장	세 마리	세 권	세 명	세 자루	세 잔	세 개
4	네 장	네 마리	네 권	네 명	네 자루	네 잔	네 개
5	다섯 장	다섯 마리	다섯 권	다섯 명	다섯 자루	다섯 잔	다섯 개
6	여섯 장	여섯 마리	여섯 권	여섯 명	여섯 자루	여섯 잔	여섯 개
7	일곱 장	일곱 마리	일곱 권	일곱 명	일곱 자루	일곱 잔	일곱 개
8	여덟 장	여덟 마리	여덟 권	여덟 명	여덟 자루	여덟 잔	여덟 개
9	아홉 장	아홉 마리	아홉 권	아홉 명	아홉 자루	아홉 잔	아홉 개
10	열 장	열 마리	열 권	열 명	열 자루	열 잔	열 개
何	몇 장	몇 마리	몇 권	몇 명	몇 자루	몇 잔	몇 개
	枚	匹, 頭	冊	人	本	杯	個

1) 純韓国語数詞の場合
사람：두 명　　二人　　두 분　二名様
옷 다섯 벌：服5着　　술 세 병：酒3瓶　　양말 한 켤레：靴下1足
*二つ以上の数詞を一緒に数える時
커피 한두 잔：コーヒー1、2杯　사과 너댓 개：りんご4、5個　밥 대여섯 그릇：御飯5、6杯
*固有韓国語で日を数える時
초하루 一日　　초이틀 二日　　초사흘 三日　　초나흘 四日　　초닷새 五日
초엿새 六日　　초이레 七日　　초여드레 八日　　초아흐레 九日　　초열흘 十日

2) 漢字語数詞の場合
오십 페이지：五十ページ　　오만이천삼백 원：52,300ウォン　　삼 인분：三人分
삼, 사 개월：3、4か月　　육백 그램：600g　　4 킬로미터：4km
이천 년 십이 월 십오 일：2000年 12月 15日

3) 純韓国語助数詞の場合
첫 번째 一番目　　두 번째 二番目　　세 번째 三番目　　네 번째 四番目
다섯 번째 五番目　　여섯 번째 六番目　　일곱 번째 七番目　　여덟 번째 八番目
아홉 번째 九番目　　열 번째 十番目

② '～(으)ㄹ까요?' は主語の人称によって推定や意図の意味を表わす疑問形終結語尾である。'～요' が付いて丁寧さを表わす。

～(으)ㄹ까요? : ～ましょうか。

펜을 빌려 드릴까요?
peneul billyeo deurilkkayo
ボールペンをお貸ししましょうか。

학교에 갈까요?
hakgyoe galkkayo
学校へ行きましょうか。

③ '몇' の後ろに '명' をつけて人を数える時に使う。'몇 명' は '何人' という意味である。

몇 명 있어요? : 何人いますか。

친구가 몇 명 있어요?
chin-guga myeot myeong isseoyo
友達が何人いますか。

학생이 몇 명 있어요?
haksaeng-i myeot myeong isseoyo
学生が何人いますか。

[参考] 日本語の '何' は韓国語で名詞の前では '무슨'、叙述語の前では '무엇'、いくつという意味では '몇' である。

④ '빌려 주세요' は '貸してください' という意味である。

빌려 주세요. : 貸してください。

펜 빌려 주세요.
pen billyeo juseyo
ペンを貸してください。

연필 빌려 주세요.
yeonpil billyeo juseyo
鉛筆を貸してください。

돈 빌려 주세요.
don billyeo juseyo
お金を貸してください。

책 빌려 주세요.
chaek billyeo juseyo
本を貸してください。

[参考] 日本語の '貸してもらう' '貸してくれる' '貸してあげる' は韓国語で全部 '빌려 주다' である。
친구가 빌려 주었습니다. 友達が貸してくれました。/友達から貸してもらいました。
친구에게 빌려 주었습니다. 友達に貸してあげました。

⑤ 叙述文と疑問文の否定は動詞と形容詞の前に '～안' 又は動詞の前に '～못' が来るが、動詞と形容詞の後ろに '～지 않다' 又は動詞の後ろに '～지 못하다' が来る。'～안' 否定文と '～지 않다' 否定文は主体の意志による行動の否定を意味し、'～못' 否定文と '～지 못하다' 否定文は主体の意志ではなく能力不足や外的原因の為に、その行為が行われないという意味の否定である。

안+動詞　　**안+形容詞**

안 가져왔어요. an gajyeowasseoyo 持ってきませんでした。	안 먹었어요. an meogeosseoyo 食べませんでした。	안 예뻐요. an yeppeoyo きれいではありません。

⑥ '아(어,여)서' は、①先行する文が後続する文の理由や原因という意味で使用される。②先行する文の動作が後続する文の動作より先に行われる事を意味し、二つの動作がお互いに関連性がある場合用いられる。

많+아(서) : 多くて

친구가 많아(서) 좋겠어요. chin-guga mana(seo) jokesseoyo 友達が多くていいですね。	펜을 빌려서 좋겠어요. peneul billyeoseo jokesseoyo ペンを借りてよかったですね。

⑦ 未来を表わす '겠' は、主語が一人称の場合は '意志' の意味で、他には '推測' の意味もある。

좋겠어요. : いいですね。

좋겠어요. jokesseoyo いいですね。(推測)	가겠어요. gagesseoyo 行きます。(意志)	공부하겠어요. gongbuhagesseoyo 勉強します。(意志)

練習問題

1 例の単語を使って次の文章のように答えなさい。

(1) **質問**: 펜이 몇 개 있어요? ペンはいくつありますか。
答え: 펜이 한 개 있어요.

例
두 개　　세 개　　열 개　　다섯 개　　여덟 개

(2) **質問**: 친구가 몇 명 있어요? 友達は何人いますか。
答え: 저는 친구가 네 명 있어요.

例
다섯 명　　여섯 명　　일곱 명　　여덟 명　　한 명

(3) 지에게 책을(를) 빌려 주세요. 私に本を貸してください。

例

펜　　　시계　　　우산　　　지우개

2 次の文章を疑問文に変えなさい。

(1) 친구가 있다. 友人がいる。 → ______________

(2) 봄을 좋아하다. 春が好きだ。 → ______________

(3) 비가 오다. 雨が降る。 → ______________

(4) 날씨가 흐리다. 曇る。 → ______________

(5) 우산을 가져오다. 傘を持ってきた。 → ______________

3 '안' を使って下の文章を否定文にしなさい。

(1) 가져왔어요? 持ってきましたか。

(2) 점심을 먹었어요. お昼ご飯を食べました。

(3) 책을 샀어요. 本を買いました。

(4) 갈 거예요? 行きますか。

(5) 시원해요. 爽やかですね。

読み取り練習

(1) 펜 한 개 빌려 주세요.
ペン一本貸してください。

(2) 파란색 펜이 몇 개 있어요?
青いペンは何本ありますか。

(3) 한국인 친구가 몇 명 있어요?
韓国人の友達は何人いますか。

(4) 남자 친구가 다섯 명 있어요.
男の友達が五人います。

(5) 공책을 안 가져왔어요.
ノートを持ってきませんでした。

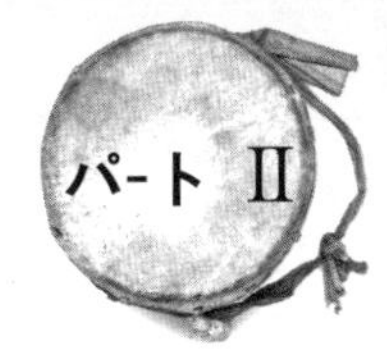

제 8 과

第8課

얼마입니까? いくらですか。

重要表現

1. 이것은 얼마입니까? これはいくらですか。
   igeoseun eolmaimnikka
2. 모두 이천팔백 원입니다. 全部で2,800ウォンです。
   modu icheonpalbaek wonimnida

会 話

会話 2

주 인: 어서 오세요. いらっしゃいませ。
eoseo oseyo

요시코: 바나나는 백 그램에 얼마입니까?
bananaNeun baek graeme eolmaimnikka
バナナは100gでいくらですか。

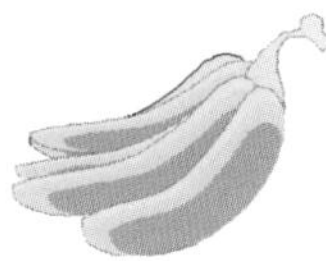

주 인: 이백이십 원입니다. 220ウォンです。
ibaek-isip wonimnida

요시코: 이 킬로그램 주세요. 2kg下さい。
ikillograem juseyo.

주 인: 여기 있습니다. はい、どうぞ。
yeogi itseumnida

모두 사천사백 원입니다. 全部で4,400ウォンです。
modu sacheonsabaek wonimnida

会話 2

요시코: 오이는 얼마입니까? きゅうりはいくらですか。
oineun eolmaimnikka

주 인: 세 개에 천백 원입니다. 3本で1,100ウォンです。
se gae-e cheonbaek wonimnida

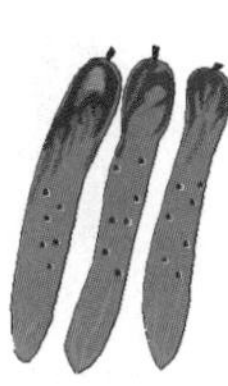

요시코: 토마토는 얼마입니까?
tomatoneun eolmaimnikka
トマトはいくらですか。

주　인: 백 그램에 이백육십 원입니다.
baek graeme ibaek-yuksip wonimnida
100gで260ウォンです。

요시코: 오이 세 개와 토마토 1킬로그램 주세요.
oi se gaewa tomato ilkillograem juseyo
きゅうり3本とトマト1kg下さい。

주　인: 모두 삼천칠백 원입니다.
modu samcheonchilbaek wonimnida
全部で3,700ウォンです。

■基本語彙■

- 어서 오세요　いらっしゃいませ。
- 얼마입니까?　いくらですか。
- 이백이십 원　220ウォン
- 여기 있습니다　どうぞ。
- 사천사백 원　4,400ウォン
- 세 개에　3本で、三つで
- 토마토　トマト
- ~와/과　と
- 바나나　バナナ
- 백 그램에　100gで
- 이 킬로그램　2kg
- 모두　全部で
- 오이　きゅうり
- 천백 원　1,100ウォン
- 이백육십 원　260ウォン
- 삼천칠백 원　3,700ウォン

■関連語彙■

과일(果物)

사과
sagwa
りんご

바나나
banana
バナナ

파인애플
painaepeul
パイナップル

배
bae
梨

포도
podo
ぶどう

수박
subak
すいか

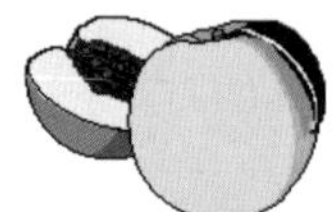

복숭아
boksunga
桃

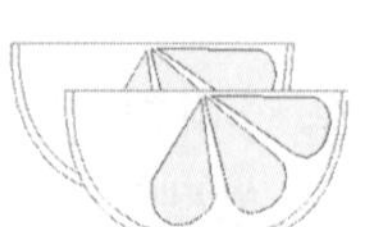

오렌지
orenji
オレンジ

감
gam
柿

레몬
remon
レモン

야채(野菜)

오이 きゅうり
oi

호박 かぼちゃ
hobak

무 大根
mu

시금치 ほうれん草
sigeumchi

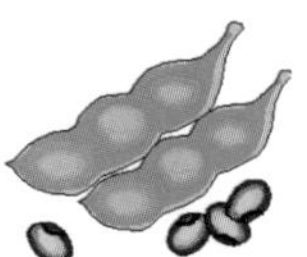

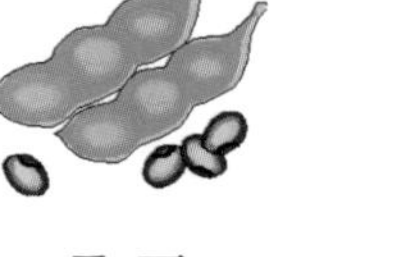

콩 豆
kong

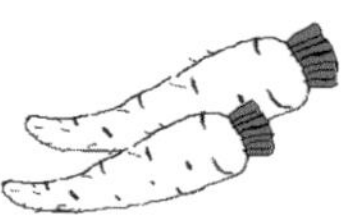

당근 にんじん
danggeun

배추 白菜
baechu

양배추 キャベツ
yangbaechu

고추 とうがらし
gochu

파 ねぎ
pa

양파 玉ねぎ
yangpa

마늘 にんにく
maneul

화폐 단위(通貨の単位)

십 원	十ウォン [sip won]	천 원	千ウォン [cheon won]
오십 원	五十ウォン [osip won]	오천 원	五千ウォン [ocheon won]
백 원	百ウォン [baek won]	만 원	一万ウォン [man won]
오백 원	五百ウォン [obaek won]		

▪重要文型▪

1 '얼마입니까?' は、値段を聞く時使う。 意味は 'いくらですか。' である。

얼마입니까? : いくらですか。

바나나 100g에 얼마입니까?
banana baekgeuraeme eolmaimnikka
バナナ100gでいくらですか。

토마토 100g에 얼마입니까?
tomato baekgeuraeme eolmaimnikka
トマト100gでいくらですか。

② '～주세요' は買い物をする時や注文をする時などに使う。意味は '～ください' である。

～주세요. : ～ください。

사과를 세 개 주세요.
sagwareul se gae juseyo
りんご3個下さい。

바나나를 주세요.
bananareul juseyo
バナナ下さい。

③ '모두' は '全部' という意味である。

모두 삼천칠백 원입니다. : 全部で3,700ウォンです。

모두 사천사백 원입니다.
modu sacheonsabaek wonimnida
全部で4,400ウォンです。

모두 천오십 원입니다.
modu cheon-osip wonimnida
全部で1,050ウォンです。

④ '～에' は '～で' の意味である。

100g에 220원 : 100gで220ウォン **1kg에 2,600원** : 1kgで2,600ウォン

100g에 150원입니다.
baekgeuraeme baek-osip wonimnida
100gで150ウォンです。

1kg에 1,500원입니다.
ilkillograeme cheon-obaek wonimnida
1kgで1,500ウォンです。

[参考] 他に '～に' と '～へ' の意味があり、'학교에 갑니다' は '学校へ行きます'、'집에 있습니다' は '家にあります' になる。

⑤ '～와/과' は文章内で名詞と名詞を対等につなぐ時に使う。先行名詞にパッチムがない時は '와'、パッチムがある時は '과' を用いる。'と' の意味である。

오이 세 개와 토마토 두 개 : きゅうり3本とトマト2個

바나나와 사과
bananawa sagwa
バナナとりんご

감자 1kg과 당근 600g
gamja ilkillograemgwa danggeun yukbaekgraem
じゃがいも1kgとにんじん600g

練習問題

1 例の単語を使って下の文章を完成させなさい。(1)～(2).

(1) (　　　　　)은(는) 100g얼마입니까?
(　　　　　)は100gでいくらですか。

例

바나나　　오렌지　　딸기　　자두　　앵두　　사과

(2) (　　　　　)은(는) 얼마입니까?
(　　　　　)はいくらですか。

例

토마토　　당근　　오이　　고추　　마늘

2 四角の中の単語を利用して文章を完成しなさい。

100g 두 개 세 개 1kg 한 근	에	이천 원 이천오백 원 천 원 오천 원 삼천오백 원	입니다.

note ‘근’は重さの単位で、野菜は450グラムが1근、肉は600グラムが1근である。

3 下の値段を読みなさい。

(1) 230원　　(2) 12,300원　　(3) 7,560원

(4) 354,000원　　(5) 90원

4 ‘全部で’という意味の韓国語を書きなさい。

(1) (　　　　　) 5,600원입니다.　　(2) (　　　　　) 7,200원입니다.

(3) (　　　　　) 1,800원입니다.

読み取り練習

(1) 사과는 얼마예요?
りんごはいくらですか。

(2) 감은 얼마예요?
柿はいくらですか。

(3) 사과 한 봉지에 삼천육백 원입니다.
りんごは一袋で3,600ウォンです。

(4) 오렌지 한 개에 오백 원이에요.
オレンジは一個で500ウォンです。

(5) 토마토 2kg 주세요.
トマト2kg下さい。

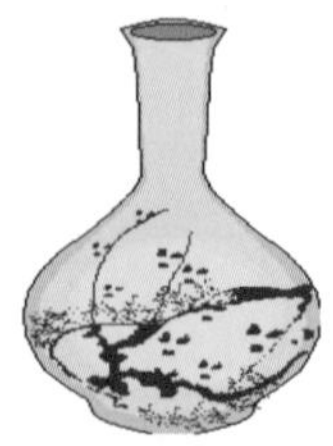

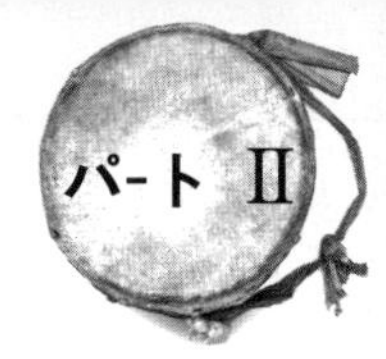

제 9 과
第 9 課

비빔밥 한 그릇 주세요.
ビビンバ一つ下さい。

重要表現

1. 무엇을 드시겠습니까?　何になさいますか。
mueoseul deusigesseumnikka
2. 비빔밥 한 그릇 주세요.　ビビンバ一つ下さい。
bibimbap han geureut juseyo

▪会 話▪

会 話 1

종업원: 무엇을 드시겠습니까? 何になさいますか。
mueoseul deusigesseumnikka

메뉴에 불고기, 비빔밥, 설렁탕이 있어요.
menyue bulgogi bibimbap seolleongtang-i isseoyo
メニューにプルコギ、ビビンバ、ソルロンタンがあります。

인　수: 저는 비빔밥 한 그릇 주세요.
jeoneun bibimbap han geureut juseyo
ビビンバ一つ下さい。

요시코: 저는 설렁탕을 먹을래요. 私はソルロンタンを食べます。
jeoneun seolleongtang-eul meogeullaeyo

종업원: 잠시만 기다리세요.
jamsiman gidariseyo
少しお待ち下さい。

여기 설렁탕 한 그릇, 비빔밥 한 그릇입니다.
yeogi seolleongtang han geureut bibimbap han geureut-imnida
ソルロンタン一つ、ビビンバ一つです。

요시코: (다 먹고 난 후) 설렁탕이 맛있어요.
seolleongtang-i masisseoyo
(食べた後) ソルロンタンがおいしいですね。

会 話 2

요시코: 이 자동판매기는 어떻게 사용해요?
i jadongpanmaegineun eotteoke sayonghaeyo
この自動販売機はどのように使いますか。

인　수: 100원짜리 동전을 세 개 넣으세요.
baekwonjjari dongjeoneul se gae neoeuseyo
100ウォンのコインを三枚入れてください。

그리고 버튼을 누르세요. そして、ボタンを押してください。
geurigo beoteuneul nureuseyo

요시코: 어느 것을 누를까요?
eoneu geoseul nureulkkayo
どれを押したらいいですか。

밀크 커피, 설탕 커피, 블랙 커피가 있어요.
milk keopi seoltang keopi beullaek keopiga isseoyo
ミルクコーヒー、砂糖入りコーヒー、ブラックコーヒーがあります。

인　수: 저는 밀크 커피 마실게요. 私はミルクコーヒーを飲みます。
jeoneun milk keopi masilgeyo

■基本語彙■

- ～드시겠습니까? なさいますか
- 비빔밥　ビビンバ
- 불고기　プルコギ
- 설렁탕　ソルロンタン
- 메뉴　メニュー
- 잠시 기다려요　少し待つ
- 맛있다　おいしい
- 이　この
- 자동판매기　自動販売機
- 어떻게　どのように
- 사용하다　使用する
- 백(100)원짜리　100ウォンの(価値がある)
- 동전　コイン
- 넣다　入れる
- 그리고　そして
- 버튼　ボタン
- 누르다　押す
- 어느 것　どれ
- 밀크 커피　ミルクコーヒー
- 설탕 커피　砂糖入りコーヒー
- 블랙 커피　ブラックコーヒー
- 마시다　飲む
- 마실게요　飲みます

■関連語彙■

한국의 음식(韓国の食べ物)

김치 (キムチ)

포기김치, 물김치, 깍두기, 보쌈김치, 총각김치, 오이소박이, 파김치, 부추김치, 깻잎김치

밥 (ご飯)

쌀밥, 보리밥, 잡곡밥, 팥밥, 차조밥

나물 (野菜のあえ物、ナムル)
시금치, 콩나물, 고사리, 숙주나물, 파래무침, 도라지무침, 오이무침, 호박볶음, 무채나물

생선 (魚)
조기, 옥돔, 참치, 꽁치, 갈치, 고등어, 가자미, 대구, 명태

전 (チヂミ)
고기산적, 녹두지짐, 파전, 깻잎전, 호박전, 감자전

찌개 (鍋物)
된장찌개, 김치찌개, 참치찌개, 두부찌개, 비지찌개, 동태찌개, 버섯전골, 오징어전골

국 (スープ)
미역국, 북어국, 쇠고기국, 감자국, 무국, 시금치된장국, 배추된장국, 콩나물국, 육개장, 떡국, 만두국, 삼계탕

■重要文型■

1 食堂で料理を注文するとき、その数え方の単位として、'인분' と '그릇' があり、'인분' の前には '일, 이, 삼, 사 …' のような数え方を使い、'그릇' の前には '한, 두, 세, 네 …' のような数え方を使う。'三人分' のように人数で数える時は '인분' を、器で数える時は '그릇' を、皿で数える時は '접시' を使う。

(1) 비빔밥 ________ 그릇 : '한 그릇' 一つ
bibimbap geureut

한	세	다섯	일곱	열

(2) 불고기 ________ 인분 : '일 인분' 一人分
bulgogi inbun

일	이	육	구	십

2 '~드시겠습니까?' は '~召し上がりますか' という意味で、'드시다' は '먹다' の尊敬語で、'겠' は未来を表わす。レストランなどでは '何になさいますか' という意味で '~드시겠습니까?' がよく使われている。

~을(를) 드시겠습니까? : ~を召し上がりますか。

비빔밥 bibimbap　불고기 bulgogi　우동 udong　국수 guksu　수제비 sujebi　떡국 tteokguk

③ '～(으)ㄹ래요?' は相手の意見を聞く時に使う。前にパッチムがない時は '～ㄹ래요?' を、パッチムがある時は '～을래요?' を使う。尊敬語は '～(으)시겠습니까?' である。

～을(를) 먹을래요? : ～を食べますか。
～을(를) 마실래요? : ～を飲みますか。

라면 ramyeon　피자 pija　김밥 gimbap　햄버거 haembeogeo　국수 guksu

커피 keopi　콜라 kolla　사이다 saida　주스 juseu

④ 食堂で注文する時や、何かを買う時、'～주세요' と言う。'～ください' という意味である。

～주세요. : ～ください。

삼계탕 일 인분 samgyetang ilinbun　한정식 이 인분 hanjeongsik i-inbun　불고기 육 인분 bulgogi yuk-inbun

설렁탕 한 그릇 seolleongtang han geureut　자장면 세 그릇 jajangmyeon se geureut

⑤ '어떻게' は、方法を尋ねる時に使い、'どのように' 'どうやって' という意味である。

어떻게 : どのように / どうやって

어떻게 사용해요?
eotteoke sayonghaeyo
どのように使いますか。

어떻게 가요?
eotteoke gayo
どうやって行きますか。

⑥ '～(으)ㄹ게요' は話し手が自分の意志を言う時に使う。

～(으)ㄹ게요. : ～ます。

밀크 커피 마실게요.
milk keopi masilgeyo
ミルクコーヒーを飲みます。

공부할게요.
gongbuhalgeyo
勉強します。

불고기 먹을게요.
bulgogi meogeulgeyo
プルコギを食べます。

練習問題

1 カッコ内の中の単語を使って四角の中の質問に答えなさい。

例
Q : 무엇을 드시겠습니까? 何になさいますか。

(1) __________ 먹을래요. (불고기)　　(2) __________ 먹을래요. (설렁탕)
(3) __________ 먹을래요. (자장면)　　(4) __________ 먹을래요. (우동)

2 味を聞く言葉を入れて下の文章を完成させなさい。

(1) 비빔밥이 ______________?　　(2) 불고기가 ______________?
(3) 설렁탕이 ______________?　　(4) 자장면이 ______________?
(5) 물냉면이 ______________?　　(6) 된장찌개가 ______________?

3 四角の中の単語を使って注文しなさい。

김밥	생선초밥	짬뽕	갈비	비빔냉면
만두국	떡만두국	칼국수	버섯전골	오징어전골

(1) '그릇' を使って注文する場合

例
칼국수 한 그릇 주세요. 一つください。

① ______________ 주세요.　　② ______________ 주세요.
③ ______________ 주세요.　　④ ______________ 주세요.
⑤ ______________ 주세요.

(2) '인분' を使って注文する場合

例

만두 이 인분 주세요. 二人分ください。

① ____________ 주세요. ② ____________ 주세요.

③ ____________ 주세요. ④ ____________ 주세요.

⑤ ____________ 주세요.

4 **3**の四角の中の単語を使って下の文章を完成させなさい。

(1) ____________이(가) 맛있어요. (2) ____________이(가) 맛없어요.

(3) ____________이(가) 맛있어요. (4) ____________이(가) 맛없어요.

(5) ____________이(가) 맛있어요. (6) ____________이(가) 맛없어요.

(7) ____________이(가) 맛있어요. (8) ____________이(가) 맛없어요.

5 四角の中の単語を使って下の文章を完成させなさい。

例

밀크 커피　　설탕 커피　　블랙 커피　　율무차　　코코아　　유자차

▸ (　　　　　) を飲みますか。

(1) ____________ 마실래요? (2) ____________ 마실래요?

(3) ____________ 마실래요? (4) ____________ 마실래요?

(5) ____________ 마실래요? (6) ____________ 마실래요?

読み取り練習

(1) 무엇을 드시겠습니까? 何になさいますか。

(2) 자장면 한 그릇 주세요. チャジャンミョン一つ下さい。

(3) 100원짜리 동전을 다섯 개 넣으세요. 100ウォンのコインを5枚入れてください。

(4) 저는 블랙 커피 마실게요. 私はブラックコーヒーを飲みます。

(5) 우동 두 그릇 주세요. うどん二つください。

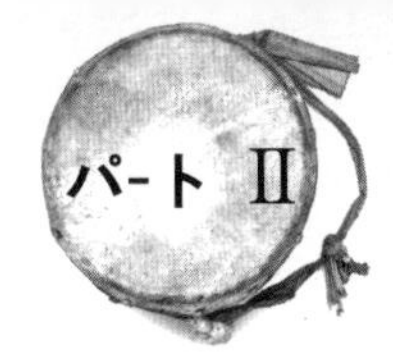

제 10 과

第 10 課

여보세요? もしもし。

重要表現

1. 여보세요? もしもし。
   yeoboseyo
2. 수미 씨 있어요? スミさんいますか。
   sumi ssi isseoyo

▪会 話▪

会 話 1

요시코: 여보세요? 인수 씨 있어요?
yeoboseyo insu ssi isseoyo
もしもし。インスさんいますか。

인 수: 저예요. 요시코 씨. 私です。よし子さん。
jeoyeyo yosiko ssi

요시코: 몇 시에 만날까요?
myeot sie mannalkkayo
何時に会いましょうか。

인 수: 2시에 만나요. 2時に会いましょう。
dusie mannayo

요시코: 어디에서 만날까요? どこで会いましょうか。
eodieseo mannalkkayo

인 수: 이태원 맥도날드에서 만나요.
itaewon maekdonaldeu-eseo mannayo
イテウォンのマクドナルドで会いましょう。

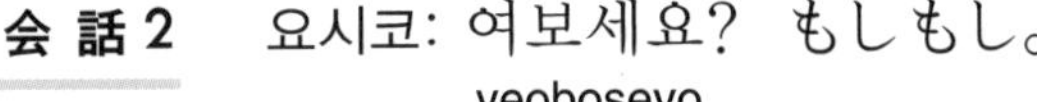

会 話 2

요시코: 여보세요? もしもし。
yeoboseyo

소 라: 누구세요? どなたですか。
nuguseyo

요시코: 저는 요시코예요. 私はよし子です。
jeoneun yosikoyeyo

소　리: 누구 찾으세요? 誰に代わりますか。
nugu chajeuseyo

요시코: 인수 씨를 찾습니다.
insu ssireul chasseumnida
インスさんに代わってください。

소　라: 지금 여기 안 계십니다.
jigeum yeogi an gyesimnida
今ここにはいらっしゃいません。

요시코: 요시코가 전화했다고 전해 주세요.
yosikoga jeonhwahaetdago jeonhae juseyo
よし子から電話があったとお伝え下さい。

■基本語彙■

- ~씨 さん
- 누구 だれ
- 몇 시 何時
- 여기 ここ
- 2시 2時
- 맥도날드 マクドナルド
- 여보세요? もしもし。
- 저예요 私です。
- 만날까요? 会いましょうか。
- 만나다 会う
- 어디에서 どこで
- 전화했다고 電話があったと
- 있어요? いますか。
- 전화 電話
- 지금 今
- 계십니다 いらっしゃる
- 이태원 イテウォン
- 전해 주세요 お伝え下さい。
- 안 계십니다 いらっしゃいません
- (누구를) 찾으세요? 探していますか。(代わりますか。)

■関連語彙■

시간 표현(時間の言い方)

- 한 시　1:00　hansi
- 두 시　2:00　dusi
- 세 시　3:00　sesi
- 네 시　4:00　nesi
- 다섯 시　5:00　daseotsi
- 한 시 반　1:30　hansi ban
- 두 시 반　2:30　dusi ban
- 세 시 반　3:30　sesi ban
- 네 시 반　4:30　nesi ban
- 한 시 십 분　1:10　hansi sipbun
- 두 시 이십 분　2:20　dusi isipbun
- 세 시 사십 분　3:40　sesi sasipbun
- 네 시 십 분 전　3:50　nesi sipbun jeon
- 다섯 시 십오 분 전　4:45　daseotsi sipobun jeon

세 시 3:00
sesi

네 시 4:00
nesi

열두 시 오십오 분 12:55
yeoldusi osipobun
한 시 오 분 전
hansi obun jeon

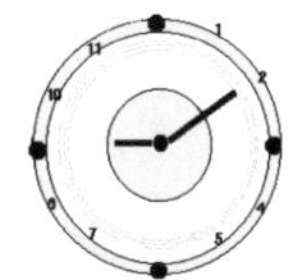

아홉 시 십 분 9:10
ahopsi sipbun

여섯 시 오십 분 6:50
yeoseosi osipbun
일곱 시 십 분 전
ilgopsi sipbun jeon

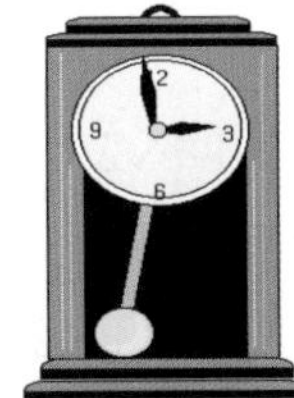

두 시 오십오 분 2:55
dusi osipobun
세 시 오 분 전
sesi obun jeon

한 시 사십오 분 1:45
hansi sasipobun

다섯 시 5:00
daseotsi

열두 시 사십 분 12:40
yeoldusi sasipbun

열 시 반 10:30
yeolsi ban
열 시 삼십 분
yeolsi samsipbun

열한 시 오 분 11:05
yeolhansi obun

의문 표현(疑問を表わす言葉)

누구 (誰)　**무엇** (何)　**어디** (どれ)　**언제** (いつ)
어느 것 (どちら)　**어떻게** (どのように)　**왜** (なぜ)

누구를 좋아합니까?
nugureul joahamnikka
誰が好きですか。

무엇을 합니까?
mueoseul hamnikka
何をしますか。

어디에 갑니까?
eodie gamnikka
どこへ行きますか。

언제 갑니까?
eonje gamnikka
いつ行きますか。

어느 것을 좋아합니까?
eoneu geoseul joahamnikka
どれが好きですか。

어떻게 사용합니까?
eotteoke sayonghamnikka
どのように使いますか。

▪重要文型▪

① 電話をした時、'여보세요?' と言う。'もしもし' という意味である。

> **여보세요?** : もしもし。

② 電話して他の人に代わってもらう時、'있어요?' と聞く。'있어요?' の尊敬語は '계세요?/계십니까?' である。

> **~있어요? / 계세요?** : ~いますか。/いらっしゃいますか。

수미 씨	헨리 씨	소라 씨	앤디 씨	영주 씨	존 씨
사장님	과장님	목사님	원장님	선생님	신부님

③ 電話の相手の名前を聞く時、'누구세요?' という。'どなたですか' という意味である。'누구를 찾으세요?' は '誰に代わりますか' という意味である。

> **누구세요?** : どなたですか。 **누구(를) 찾으세요?** : 誰に代わりますか。

④ 相手の意見を聞くとき、'~(으)ㄹ까요?' と言う。

> **~만날까요?** : ~に会いましょうか。

두 시에	네 시에	다섯 시에	일곱 시에
du sie	ne sie	daseot sie	ilgop sie
2時に	4時に	5時に	7時に

⑤ ある場所で約束をする時、'~에서 만나요' と言う。'~であいましょう' という意味である。

> **~에서 만나요.** : ~で会いましょう。

맥도날드	버거킹	웬디스	지하철역
maekdonaldeu	beogeoking	wendis	jihacheolyeok
マクドナルド	バーガーキング	ウェンディーズ	地下鉄の駅

⑥ '～고 전해 주세요'は、'～とお伝え下さい'という意味である。

～고 전해 주세요：～とお伝え下さい。

전화했다고 전해 주세요.
jeonhwahaetdago jeonhae juseyo
電話があったとお伝え下さい。

찾는다고 전해 주세요.
channeundago jeonhae juseyo
探していたとお伝え下さい。

練習問題

1 カッコ内の言葉を使って答えなさい。

例
여보세요? 수미 씨 있어요?：もしもし、スミさんいますか。

(1) ______? ______ 있어요?(요시코)　(2) ______? ______ 있어요?(재헌)

(3) ______? ______ 있어요?(사무엘)　(4) ______? ______ 있어요?(푸휘)

2 例の質問について、カッコを参考にして答えなさい。

例
여보세요? (あなたの名前) 씨 있어요?

答え 1: ______________ (誰が電話したのか知っている場合)
答え 2: ______________ (誰が電話したのか知らない場合)

3 下線に適当な言葉を入れなさい。

(1) __________에 만날까요?　(約束の時間を尋ねる時)

(2) __________에 만나요.　(約束の時間を言う時)

(3) ＿＿＿＿＿에서 만날까요?　(約束の場所を尋ねる時)

(4) ＿＿＿＿＿에서 만나요.　(約束の場所を言う時)

4 敬語表現を使って書き直しなさい。

(1) 나는 인수예요.　→　＿＿＿＿＿＿.　私はインスです。

(2) 그녀는 요시코예요.　→　＿＿＿＿＿＿.　彼女はよし子です。

(3) 우리는 학생이에요.　→　＿＿＿＿＿＿.　私たちは学生です。

(4) 그들은 선생님이에요.　→　＿＿＿＿＿＿.　彼らは先生です。

(5) 이 사람은 누구예요?　→　＿＿＿＿＿＿.　この人はだれですか。

(6) 나는 이사를 만났어요.　→　＿＿＿＿＿＿.　私は理事に会いました。

(7) 나는 전무를 만났어요.　→　＿＿＿＿＿＿.　私は専務に会いました。

(8) 나는 부장을 만났어요.　→　＿＿＿＿＿＿.　私は部長に会いました。

(9) 나는 과장을 만났어요.　→　＿＿＿＿＿＿.　私は課長に会いました。

読み取り練習

(1) 여보세요? 114입니까?
もしもし、 114ですか。

(2) 인수 씨 있어요?
インスさんいますか。

(3) 요시코가 전화했다고 전해 주세요.
よし子から電話があったとお伝え下さい。

(4) 몇 시에 어디에서 만날까요?
何時にどこで会いましょうか。

(5) 인수 씨는 지금 여기 안 계십니다.
インスさんは今ここにはいらっしゃいません。

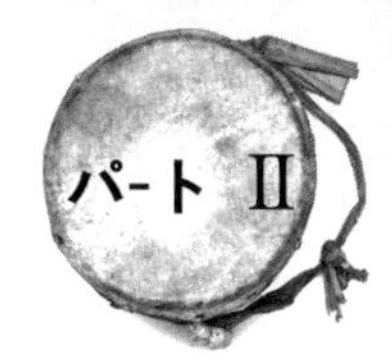

제 11 과
第 11 課

이태원은 어떻게 가요?
イテウォンはどのように行きますか。

重要表現

1. 이태원은 어떻게 가요? イテウォンはどのように行きますか。
   itaewoneun eotteoke gayo
2. 지하철을 타세요. 地下鉄に乗ってください。
   jihacheoreul taseyo

▪会 話▪

会 話 1

존 : 이태원은 어떻게 가요?
itaewoneun eotteoke gayo
イテウォンはどのように行きますか。

유미: 지하철 6호선을 타세요.
jihacheol yukhoseoneul taseyo
地下鉄6号線に乗ってください。

그리고, 이태원 역에서 내리세요.
geurigo itaewon yeogeseo naeriseyo
そしてイテウォン駅で降りてください。

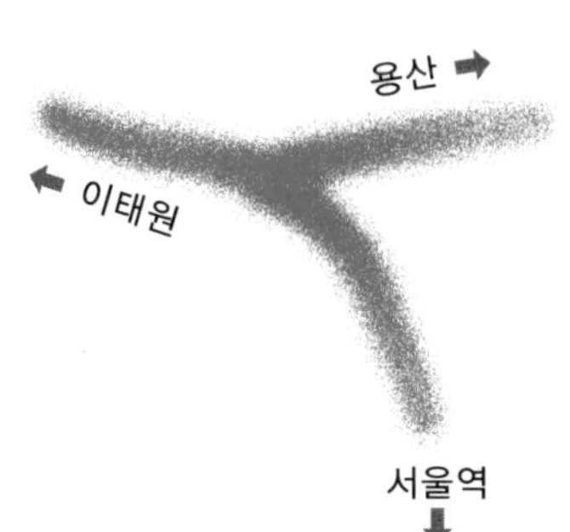

존 : 맥도날드는 어떻게 가요?
maekdonaldneun eotteoke gayo
マクドナルドはどのように行きますか。

유미: 지하철 역에서 걸어서 가세요.
jihacheol yeogeseo georeoseo gaseyo
地下鉄の駅から歩いてください。

존 : 걸어서 얼마나 걸려요?
georeoseo eolmana geollyeoyo
歩いてどのくらいかかりますか。

유미: 금방이에요.
geumbangieyo
すぐです。

会話2 존 : 이태원역 한 장 주세요.
itaewon-yeok hanjang juseyo
イテウォン駅まで一枚下さい。

직원: 900원입니다.
gubaegwonimnida
900ウォンです。

존 : 어느 쪽으로 가요?
eoneu jjogeuro gayo
どちらに行きますか。

직원: 저 표시를 따라가세요.
jeo pyosireul ttaragaseyo
あの表示に従って行って下さい。

존 : 감사합니다. ありがとうございます。
gamsahamnida

(지하철을 탄다.) 地下鉄に乗る
jihacheoreul tanda

地下鉄放送
지하철 방송: 다음 역은 이태원역입니다.
daeum yeogeun itaewon-yeogimnida
次の駅はイテウォンです。

내리실 문은 왼쪽입니다.
naerisil muneun oenjjogimnida
降り口は左側です。

■基本語彙■

- 900원 900ウォン
- 어떻게 どう / どのように
- 지하철 地下鉄
- 6호선 6号線
- 이태원역 イテウォン駅
- 내리세요 降りてください。
- 타세요 乗ってください。
- 왼쪽 左
- 걸려요 かかります。
- 어떻게 가요? どのように行きますか。
- 어느 どちら
- 어느 쪽 どちら側
- 저기 あちら
- 표시 表示
- 따라가세요 従って行って下さい。
- 다음 次
- 다음 역 次の駅
- 걸어서 歩いて
- 내리실 문 降り口

▪関連語彙▪

교통수단(交通手段)

자전거 自転車
jajeongeo

오토바이 オートバイ
otobai

승용차 車
seungyongcha

버스 バス
beos

기차 汽車
gicha

지하철 地下鉄
jihacheol

비행기 飛行機
bihaenggi

헬리콥터 ヘリコプター
hellikopteo

여객선
yeogaekseon
旅客船

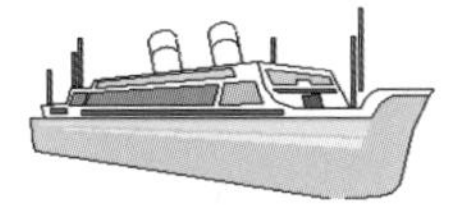

유람선
yuramseon
遊覧船

트럭
teureok
トラック

택시
taeksi
タクシー

▪重要文型▪

1 道を聞く時、'~은(는) 어떻게 가요?' という表現を使う。'~はどのように行きますか' という意味である。

~은(는) 어떻게 가요? : ~はどのように行きますか。

맥도날드
maekdonaldeu
マクドナルド

지하철역
jihacheolyeok
地下鉄の駅

이태원
itaewon
イテウォン

학교 学校
hakgyo

출입국 관리 사무소 出入国管理事務所
churipguk gwanri samuso

② 行く方向や場所などを表わす時、'～(으)로 가요' を使う。'～に行きます。' という意味で、パッチムがない時は、'～로' を、ある時は '～으로' を使う。

～으로 가요? : ～に行きますか。

어느 쪽 どちら側 eoneu jjok	이쪽 こちら側 ijjok	저쪽 あちら側 jeojjok	그쪽 そちら側 geujjok

③ '～(을)를 타세요' は '～に乗って下さい' という意味で、パッチムがある時は '～을' を、ない時は '～를' を使う。

～(을)를 타세요. : ～に乗って下さい。

지하철 地下鉄 jihacheol	택시 タクシー taeksi	승용차 車 seungyongcha
버스 バス beos	자전거 自転車 jajeongeo	오토바이 オートバイ otobai

練習問題

1 例の言葉を使って文を完成させなさい。 (1)～(3)

(1)

例

이태원, 김포공항, 여의도, 한강시민공원, 롯데월드, 민속촌

① ____________에 어떻게 가요?

② ____________에 어떻게 가요?

③ ____________에 어떻게 가요?

④ ____________에 어떻게 가요?

⑤ ____________에 어떻게 가요?

(2)

例

기차, 배, 버스, 택시, 승용차

① ________________을(를) 타고 가(세)요.

② ________________을(를) 타고 가(세)요.

③ ________________을(를) 타고 가(세)요.

④ ________________을(를) 타고 가(세)요.

⑤ ________________을(를) 타고 가(세)요.

(3)

지하철을(를) 타세요.

① ________________ (버스 バス)

② ________________ (택시 タクシー)

③ ________________ (유람선 遊覧船)

④ ________________ (오토바이 オートバイ)

⑤ ________________ (자전거 自転車)

2 カッコ内の言葉を使って四角の中の質問に答えなさい。

어느 쪽으로 가야 돼요?

(1) ________________ 으로 가세요. (왼쪽 左側)

(2) ________________ 으로 가세요. (오른쪽 右側)

(3) ________________ 으로 가세요. (이쪽 こちら)

(4) ________________ 으로 가세요. (저쪽 あちら)

(5) ________________ 가세요. (곧장 まっすぐ)

3 あなたが知っている場所の名前を使って文章を完成させなさい。

(1) ________________________에 가요.

(2)________________________에 가요.

(3) ________________________에 가요.

(4) ________________________에 가요.

(5) ________________________에 가요.

読み取り練習

(1) 소라 씨, 집에는 어떻게 가요?
ソラさん、家にはどのように行きますか。

(2) 서울역 한 장 주세요.
ソウル駅行き一枚ください。

(3) 어느 쪽으로 가세요?
どちらに行きますか。

(4) 지하철로 얼마나 걸려요?
地下鉄でどのくらいかかりますか。

(5) 어디에서 내리세요?
どこで降りますか。

제 12 과

第 12 課

저는 내일 여행 갈 거예요.

私は明日、旅行へ行くつもりです。

重要表現

1. 저는 내일 여행 갈 거예요. 私は明日、旅行へ行くつもりです。
   jeoneun naeil yeohaeng gal geoyeyo
2. 무궁화호 한 장 주세요. ムグンファ号の切符を一枚下さい。
   mugunghwaho han jang juseyo

▪会 話▪

会 話 1

존 : 저는 내일 여행 갈 거예요.
jeoneun naeil yeohaeng gal geoyeyo
私は明日、旅行へ行くつもりです。

유미: 어디 가세요?
eodi gaseyo
どこへ行きますか。

존 : 경주에 갈 거예요. 慶州へ行くつもりです。
gyeongjue gal geoyeyo

한국의 전통적인 도시를 보고 싶어요.
hangugui jeontongjeogin dosireul bogo sipeoyo
韓国の伝統的な都市が見たいです。

유미: 불국사가 가장 유명해요. 꼭 가 보세요.
bulguksaga gajang yumyeonghaeyo kkok ga boseyo
仏国寺が一番有名です。ぜひ行ってみて下さい。

좋은 여행 되세요.
joeun yeohaeng doeseyo
楽しい旅行をして下さい。

会 話 2

존 : 3시 30분 무궁화호 한 장 주세요.
sesi samsipbun mugunghwaho han jang juseyo
3時30分のムグンファ号の切符を一枚下さい。

직원 : 이디 가세요? どこへ行かれますか。
eodi gaseyo

존 : 설악산에 갑니다.
seoraksane gamnida
ソラクサン(雪嶽山)に行きます。

직원 : 조금 늦으셨어요. 방금 떠났어요.
jogeum neujeusyeosseoyo bang-geum tteonasseoyo
少し遅かったです。たった今出たところです。

존 : 다음 열차는 몇 시에 있습니까?
daum yeolchaneun myeot sie itseumnikka
次の列車は何時にありますか。

직원 : 4시 10분 새마을호입니다.
nesi sipbun saemaeulhoimnida
4時10分のセマウル号です。

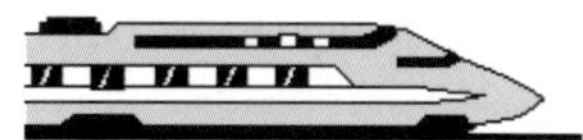

존 : 새마을호 한 장 주세요.
saemaeulho han jang juseyo
セマウル号の切符を一枚下さい。

■基本語彙■

- 내일 明日
- 여행 旅行
- 유명한 有名な
- 열차 列車
- 경주 慶州
- 한국 韓国
- 늦다 遅い
- 보고 싶어요 見たいです。
- 무궁화호 ムグンファ号
- 갈 거예요 行くつもりです。
- 보다 見る
- 가장 一番
- 다음 次
- 가세요? 行かれますか。
- 표 切符
- 갑니다 行きます。
- 전통적인 伝統的な
- 새마을호 セマウル号
- 주세요 下さい。
- 가 보세요 行ってみてください。
- 방금 たった今
- 떠났어요 出ました。
- 어디 どこ
- 꼭 ぜひ
- 좋은 良い
- 도시 都市
- 조금 少し
- 몇 시? 何時

■関連語彙■

한국의 주요역(韓国の主要駅)

서울역, 수원역, 대전역, 대구역, 동대구역, 부산역

기차의 종류 (汽車の種類)

새마을호, 무궁화호, 통일호

표 세는 법 (切符の数え方)

네 장, 다섯 장, 여덟 장, 열 장, 열두 장

한국의 주요 도시 (韓国の主要都市)

서울, 부산, 인천, 대구, 광주, 대전, 울산, 제주, 춘천

서울의 위성 도시 (ソウル近郊の都市)

수원, 안양, 부천, 분당, 성남, 구리, 일산, 안산, 과천

▪重要文型▪

1. '~가세요? / ~가셔요?' は '~가요?' に '시' という尊敬語を作る言葉を入れた形で、'~行かれますか' という意味である。'~시 + 어' は、'셔' 又は '세' になる。

어디 가세요? : どこへ行かれますか。

경주에 가세요?
gyeongjue gaseyo
慶州へ行かれますか。

설악산에 가세요?
seoraksane gaseyo
雪嶽山へ行かれますか。

2. 助詞 '~에' が動作の移動を意味する動作と共に使われて移動の到着点を表わす時は、'~로' と書き換えられる。

경주에 갈 거예요.
gyeongjue gal geoyeyo
慶州へ行くつもりです。

경주로 갈 거예요.
gyeongjuro gal geoyeyo
慶州へ行くつもりです。

3. '~고 싶다' は '~たい' という意味で '希望' を表わす時に使う。叙述文では1人称、疑問文では2人称が主語になる。また、'~고 싶어하다' は '~たがる' という意味で、3人称が主語になる。

보고 싶어요 : 見たいです。 会いたいです。	**보고 싶어해요** : 見たがっています。 会いたがっています。

경주를 보고 싶어요.
gyeongjureul bogo sipeoyo
慶州が見たいです。

수미를 보고 싶어요.
sumireul bogo sipeoyo
スミさんに会いたいです。

④ '가장' は '一番' という意味で、'最高' を表わす時に使い、'～보다 더' は '～よりもっと' という意味で、比較する時に使う。

가장 유명해요. : 一番有名です。

불국사가 가장 유명해요.
bulguksaga gajang yumyeonghaeyo
仏国寺が一番有名です。

불국사가 해인사보다 더 유명해요.
bulguksaga haeinsaboda deo yumyeonghaeyo
仏国寺が海印寺よりもっと有名です。

⑤ '좋은 ～이(가) 되세요.' は別れる時の挨拶で、相手が楽しい時を過すことを祈る意味である。

좋은 여행 되세요. : 楽しい旅行をしてください。

좋은 밤 되세요.
joeun bam doeseyo
楽しい夜を過ごしてください。

좋은 주말 되세요.
joeun jumal doeseyo
楽しい週末を過ごしてください。

⑥ 電車に乗る時の必要な単語として、電車の出発時間、電車の種類、切符の数え方等がある。

時間	電車の種類	切符の数え方
3시 30분	무궁화호 Mugunghwaho	한 장 han jang
4시	통일호 Tong-ilho	두 장 du jang
5시	새마을호 Saemaeulho	세 장 se jang

1 カッコ内の単語を使って四角の中の質問に答えなさい。

> 例
> 質問 : 어디 가십니까?

(1) 答え : ________________ 갑니다. (강릉)

(2) 答え : ________________ 갑니다. (경주)

(3) 答え : ________________ 갑니다. (설악산)

(4) 答え : ________________ 갑니다. (지리산)

(5) 答え : ________________ 갑니다. (남해안)

2 カッコ内の単語と同じ意味の韓国語を使って文章を完成させなさい。

(1) 판교로 ____________________ . (行きます。)

(2) 안양에 ____________________ . (行くつもりです。)

(3) 용인에 ____________________ . (行くつもりです。)

(4) 광주로 ____________________ . (行きたいです。)

(5) 분당으로 __________________ . (行きます。)

3 カッコ内の単語と同じ意味の韓国語を使って文章を完成させなさい。

(1) 표 _______ 주세요. (5 枚)　　(2) 표 _______ 주세요. (10 枚)

(3) 표 _______ 주세요. (7 枚)　　(4) 표 _______ 주세요. (11 枚)

(5) 표 _______ 주세요. (14 枚)

4 例を見て文章を完成させなさい。

> 例
> 두 시 무궁화호 한 장 주세요.

(1) ____________________________________ 주세요.

(2) ____________________________________ 주세요.

(3) ____________________________________ 주세요.

(4) ____________________________________ 주세요.

(5) ____________________________________ 주세요.

5 切符を購入する時の表現を書きなさい。

(1) 새마을호 ______________________________ .

(2) 통일호 ________________________________ .

(3) 고속 버스 ______________________________ .

(4) 무궁화호 침대칸 ________________________ .

読み取り練習

(1) 저는 모레 여행을 떠날 거예요.
私はあさって旅行へ行くつもりです。

(2) 설악산을 보고 싶어요.
雪嶽山が見たいです。

(3) 경주에 가고 싶어요.
慶州へ行きたいです。

(4) 불국사가 가장 유명해요.
仏国寺が一番有名です。

(5) 새마을호 한 장 주세요.
セマウル号一枚ください。

  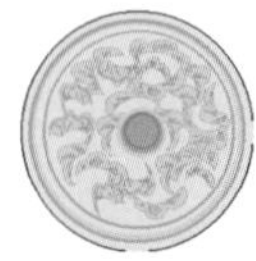 

제 13 과
第 13 課

방 구하기　部屋探し

重要表現

1. 자취방 있어요?　　‘自炊’部屋はありますか。
   jachwibang isseoyo
2. 계약서를 작성합시다.　　契約書を作成しましょう。
   gyeyakseoreul jakseonghapsida

会　話

会話 1

존 : 자취방 있어요?
jachwibang isseoyo
‘自炊’部屋ありますか。

주인: 이쪽으로 앉으세요.　こちらへ座ってください。
ijjogeuro anjeuseyo

존 : 얼마 정도 합니까?
eolma jeongdo hamnikka
いくらぐらいですか。

주인: 보증금 100만 원에 월 10만 원 정도예요.
bojeung-geum baekman wone wol sipman won jeongdoyeyo
保証金100万ウォンに月10万ウォンぐらいです。

존 : 방 구경 할 수 있어요?
bang gugyeong hal su isseoyo
部屋の下見ができますか。

주인: 예, 지금 같이 가 보시겠습니까?
ye jigeum gachi ga bosigetseumnikka
ええ、今一緒に行ってみましょうか。

会話 2

주인: 이 방입니다.　この部屋です。
i bang-imnida

존 : 방이 깨끗하고 좋군요.　部屋がきれいでいいですね。
bang-i kkaekkeutago jokunyo

이 방으로 하겠습니다.
i bang-euro hagetseumnida
この部屋にします。

주인: 사무실에서 계약서를 작성하도록 합시다.
samusileseo gyeyakseoreul jakseonghadorok hapsida
事務室で契約書を作成しましょう。

주인: 여기에 이름과 주소와 여권 번호를 적어 주세요.
yeogie ireumgwa jusowa yeogwon beonhoreul jeogeo juseyo
ここへ名前と住所とパスポート番号を書いて下さい。

그리고 계약 기간은 1년으로 하시겠어요?
geurigo gyeyak giganeun ilnyeoneuro hasigesseoyo
そして、契約期間は1年になさいますか。

존 : 예, 1년으로 하겠습니다.
ye ilnyeoneuro hagtseumnida
はい、1年にします。

주인: 계약금을 지불하시겠어요?
gyeyaggeumeul jibulhasigesseoyo
契約金を払いますか。

존 : 예, 여기 있습니다.
ye yeogi itseumnida
はい、ここにあります。

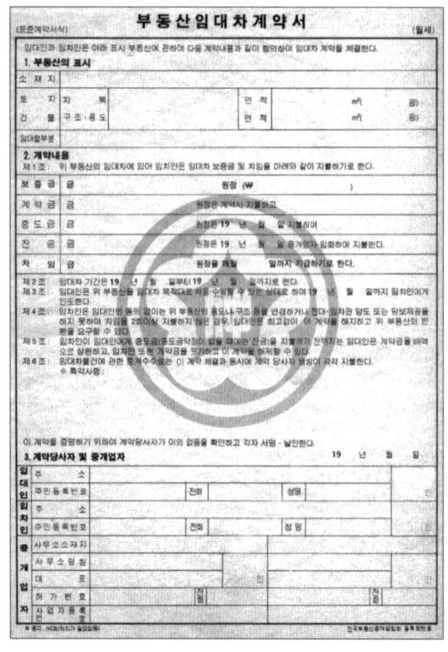

(표준계약서식) **부동산임대차계약서** (월세)

임대인과 임차인은 아래 표시 부동산에 관하여 다음 계약내용과 같이 합의하여 임대차 계약을 체결한다.

1. 부동산의 표시

소재지			
토지	지목	면적	㎡(평)
건물	구조·용도	면적	㎡(평)
임대할부분			

2. 계약내용

제1조: 위 부동산의 임대차에 있어 임차인은 임대차 보증금 및 차임을 아래와 같이 지불하기로 한다.

보증금	금	원정 (₩)
계약금	금	원정은 계약시 지불하고
중도금	금	원정은 19 년 월 일 지불하며
잔금	금	원정은 19 년 월 일 중개업자 입회하에 지불한다.
차임	금	원정을 매월 일까지 지급하기로 한다.

제2조: 임대차 기간은 19 년 월 일부터 19 년 월 일까지로 한다.
제3조: 임대인은 위 부동산을 임대차 목적대로 사용·수익할 수 있는 상태로 하여 19 년 월 일까지 임차인에게 인도한다.
제4조: 임차인은 임대인의 동의 없이는 위 부동산의 용도나 구조 등을 변경하거나 전대·임차권 양도 또는 담보제공을 하지 못하며 차임을 2회이상 지불하지 않은 경우, 임대인은 최고없이 이 계약을 해지하고 위 부동산의 반환을 요구할 수 있다.
제5조: 임차인이 임대인에게 중도금(중도금약정이 없을 때에는 잔금)을 지불하기 전까지는 임대인은 계약금을 배액으로 상환하고, 임차인 또한 계약금을 포기하고 이 계약을 해제할 수 있다.
제6조: 임대차물건에 관한 중개수수료는 이 계약 체결과 동시에 계약 당사자 쌍방이 각각 지불한다.
※ 특약사항;

이 계약을 증명하기 위하여 계약당사자가 이의 없음을 확인하고 각자 서명·날인한다.

3. 계약당사자 및 중개업자 19 년 월 일

임대인	주소					인
	주민등록번호		전화		성명	
임차인	주소					인
	주민등록번호		전화		성명	
중개업자	사무소소재지					
	사무소명칭		인			인
	대표					
	허가번호		전화		전화	
	사업자등록번호					

※ 용지: NCR(먹지가 필요없음) 전국부동산중개업협회 등록회원용

▪基本語彙▪

- 부동산 不動産
- 월 月
- 좋다 いい
- 돈 お金
- 같이 一緒に
- 1년으로 1年に
- 계약금 契約金
- 자취방 自炊部屋(食事の付いていない下宿)
- 앉다 座る
- 지금 今
- 계약서 契約書
- 얼마 정도 いくらぐらい
- 깨끗하다 きれいだ
- 작성하다 作成する
- ~정도 ~ぐらい
- 보증금 保証金
- 방 部屋
- 합시다 しましょう
- 계약 기간 契約期間
- 사무실 事務所
- 할 수 있어요? できますか。
- 방 구경 部屋の下見
- 일시불 一括払い

▪関連語彙▪

집을 빌릴 때 쓰는 용어(韓国で家を借りる時使う用語)

전세 jeonse　一定の金額を前払いで支払い、他人の不動産を一定期間借りること。(契約期間が終わったら前払い金が全額戻ってくる。)

월세 wolse　月払いの家賃

자취 jachwi　下宿(食事なし)　　하숙 hasuk 下宿(食事付き)

▪重要文型▪

1 値段や大きさや期間などは'얼마 정도 합니까? / 됩니까? / 입니까?'と聞く。意味は'いくらぐらい(どのぐらい)ですか。'である。

> **얼마 정도 합니까? / 얼마 정도 됩니까? / 얼마 정도입니까?**
> いくらぐらいですか。

이 아파트는 얼마 정도 합니까?
i apateuneun eolma jeongdo hamnikka
このアパートはいくらぐらいしますか。

방 크기는 얼마 정도 됩니까?
bang keugineun eolma jeongdo doemnikka
部屋の大きさはどのぐらいになりますか。

계약 기간은 얼마 정도입니까?
gyeyak giganeun eolma jeongdoimnikka
契約期間はどのぐらいですか。

② 可能を表わす'～(으)ㄹ 수 있다'は、'～をすることができる'という意味で、パッチムがない時は'ㄹ 수 있다'、ある時は'을 수 있다'になる。

아파트를 구경할 수 있어요? : アパートを下見することができますか。

오늘 만날 수 있어요?
oneul mannal su isseoyo
今日会えますか。

김치를 먹을 수 있어요?
gimchireul meogeul su isseoyo
キムチが食べられますか。

③ '～겠'は未来の表現で、話し手の'意志'、'推測'を表わす。

이 방으로 하겠습니다. : この部屋にします。

내일 다시 오겠습니다.
naeil dasi ogetseumnida
明日また来ます。

내일 거기 가겠습니다.
naeil geogi gagetseumnida
明日あそこへ行きます。

영화관에 같이 가시겠습니까?
yeonghwagwane gachi gasigetseumnikka
映画館に一緒に行かれますか。

④ '～고'は二つ以上の事実を単純に羅列する意味がある。

깨끗하고 좋다. : きれいでいい。

하늘이 파랗고 맑다.
haneuri parako makda
空が青くて晴れている。

음식이 짜고 맵다.
eumsigi jjago maepda
食べ物がしょっぱくて辛い。

⑤ '～와 / ～과'は名詞と名詞を連結する時使う'～と'という意味の助詞で、前の名詞にパッチムがある時は'～과'を、ない時は'～와'を使う。

이름과 주소와 여권 번호
: 名前と住所とパスポート番号

바나나와 사과와 오렌지　バナナとりんごとオレンジ
bananawa sagwawa orenji

음식과 음료수　食べ物と飲料水
eumsikgwa eumryosu

⑥ '~도록 합시다'は、'~ようにしましょう'という意味で、丁寧な表現である。'~하자'は友達や自分より年下の人に提案する場合に使う。

계약서를 작성하도록 합시다. : 契約書を作成するようにしましょう。

공부를 하도록 합시다. 勉強をするようにしましょう。
gongbureul hadorok hapsida

공부를 하도록 하자. 勉強しよう。
gongbureul hadorok haja

불고기를 먹도록 합시다. プルコギを食べるようにしましょう。
bulgogireul meokdorok hapsida

불고기를 먹도록 하자. ブルコギを食べよう。
bulgogireul meokdorok haja

練習問題

1 例を参考にして可能の表現を書きなさい。

例

하다 → 할 수 있다. 出来る。
먹다 → 먹을 수 있다. 食べられる。

(1) 쓰다 → ________ 書ける　　(2) 가져오다 → ______ 持ってこられる

(3) 가다 → ________ 行ける　　(4) 사다 → ______ 買える

2 例を参考にしてハングルで書きなさい。

例

1,000,000원 → 백만 원

(1) 2,500,000원 → ____________　　(2) 3,000,000원 → ____________

(3) 450,000원 → ____________　　(4) 150,000,000원 → ____________

3 例のように語末の表現を変化させなさい。

> **例**
> 가다 → 가겠어요 → 가겠습니다 → 가시겠어요?

(1) 오다 来る → ______ → ______ → ______ ?

(2) 잡다 取る → ______ → ______ → ______ ?

(3) 놀다 遊ぶ → ______ → ______ → ______ ?

(4) 믿다 信じる → ______ → ______ → ______ ?

(5) 하다 する → ______ → ______ → ______ ?

4 適切な接続助詞を入れなさい。

(1) 이름, 주소, 여권 번호

(2) 가방, 열쇠, 수첩

(3) 컴퓨터, 디스켓, 프린트

(4) 갈비, 설렁탕, 냉면

(5) 한국 사람, 나이지리아 사람, 케냐 사람

5 適切な接続表現を入れなさい。

(1) 아름답다(うつくしい), 깨끗하다(きれいだ)

(2) 고요하다(静かだ), 아늑하다(いごこちがよい), 넓다(広い)

(3) 착하다(まじめだ), 정직하다(素直だ)

読み取り練習

(1) 자취방 있어요? '自炊' 部屋はありますか。

(2) 계약을 하시겠어요? 契約なさいますか。

(3) 계약 기간은 1년입니다. 契約の期間は1年です。

(4) 사무실에서 계약서를 작성합시다. 事務室で契約書を作成しましょう。

(5) 지금 방 구경을 할 수 있을까요? 部屋の下見ができますか。

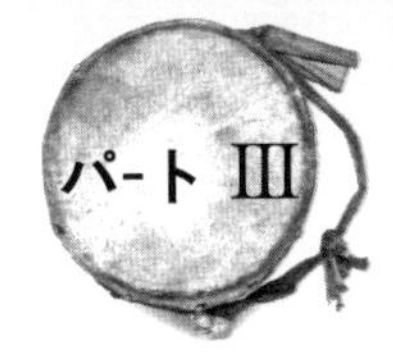

제 14 과

第 14 課

은행에서　銀行で

重要表現

1. 통장을 만들려고 하는데요.　通帳を作りたいのですが。
   tongjang-eul mandeulryeogo haneundeyo
2. 돈을 찾으려고 하는데요.　お金を下したいのですが。
   doneul chajeuryeogo haneundeyo

会 話

会 話 1

존 : 통장을 만들려고 하는데요.
tongjang-eul mandeulryeogo haneundeyo
通帳を作りたいのですが。

은행원: 신청서를 작성해 주세요.
sincheongseoreul jakseonghae juseyo
申込書を書いてください。

존 : 여기에는 무엇을 씁니까?
yeogieneun mueoseul sseumnikka
ここには何を書けばいいんですか。

은행원: 여권 번호를 써 주세요.
yeogwon beonhoreul sseo juseyo
パスポート番号を書いて下さい。

그리고 도장과 신분증을 주세요.
geurigo dojanggwa sinbunjeung-eul juseyo
それから印鑑と身分証明書を(貸して)ください。

존 : 다 썼는데 이제 어떻게 하지요?
da sseonneunde ije eotteoke hajiyo
全部書きましたが、あとは何をすればいいんでしょう。

은행원: 잠시만 기다려 주세요.
jamsiman gidaryeo juseyo
少々お待ち下さいませ。

(삼시 후)(少し後で)

은행원: 여기 통장과 현금 카드가 있습니다.
yeogi tongjanggwa hyeongeum kadeuga itseumnida
通帳と現金カードができました。

존 : 감사합니다. gamsahamnida ありがとうございます。

会話 2 존 : 돈을 찾으려고 하는데요. お金をおろしたいのですが。
doneul chajeuryeogo haneundeyo

은행원: 통장과 지급 신청서를 작성해 주세요.
tongjanggwa jigeub sincheongseoreul jakseonghae juseyo
通帳、それから払戻請求書を書いてください。

도장을 주시고, 비밀 번호를 적어 주세요.
dojang-eul jusigo bimil beonhoreul jeogeo juseyo
印鑑を下さい。そして暗証番号を書いてください。

존 : 여기 있습니다. yeogi itseumnida ここにあります。

은행원: 여기 십만 원짜리 수표 한 장과 현금 3만 원입니다.
yeogi sipman won jjari supyo han janggwa hyeongeum samman wonimnida
こちらに10万ウォンの小切手一枚と、現金3万ウォンございます。

확인해 보세요.
hwaginhae boseyo
ご確認ください。

존 : 감사합니다.
gamsahamnida
ありがとうございました。

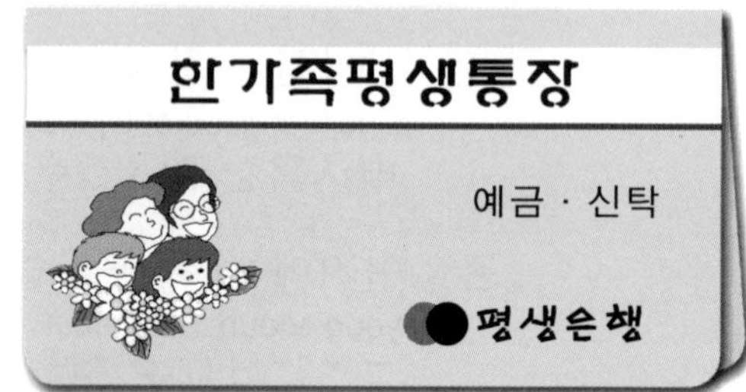

찾으실 때		입금하실 때	
금 원 (₩)		계좌번호	- -
		성 명	☎

계좌번호			금액			
대체			대체			
현금			현금			
지급회차지정시	수수료		타점권			
위와 같이 지급하여 주십시오. (이 예금/신탁의 최종계산을 승인합니다.) 예금주 (인) (수익자) (서명)	실명확인	절차확인	수표발행	1매당 발행금액	매수	금 액
	인감대조			10만원권		
				만원권		
비밀번호			합계			

입금요구서	
계좌번호	
성 명	
금 액	

수수료 ______ 평생은행

■基本語彙■

- 통장 通帳
- 기다리다 待つ
- 수표 小切手
- 그리고 それから
- 저금하다 貯金する
- 신분증 身分証明書
- 확인해 보다 確認してみる
- 만들다(통장) 作る
- 현금 카드 キャッシュカード
- 모두 全部
- 돈 お金
- 적다 書く
- 현금 現金
- 쓰다 使う/書く
- 작성하다 作成する
- 여권 번호 パスポート番号
- 찾다(인출) 下ろす、払い戻す
- 비밀 秘密
- 인출 引き出し
- 신청서 申込書
- 만들려고 作ろうと
- 확인하다 確認する
- 지급신청서 払戻請求書
- 비밀 번호 暗証番号

■重要文型■

1 '~(으)려고 하다'は、'~ようにする'という意味で話し手の意図や将来の計画を表わす。'~(는)데'は、'~が'、'~ので'、'~のに'の意味がある。

> **통장을 만들려고 하는데요.**
> :通帳を作りたいんですが。(作ろうとしていますが。)

한국어를 배우려고 하는데요.
hangugeoreul baeuryeogo haneundeyo
韓国語を習いたいんですが。(習おうとしていますが)

도서관에서 책을 읽으려고 하는데요.
doseogwaneseo chaegeul ilgeuryeogo haneundeyo
図書館で本を読みたいんですが。(読もうとしていますが)

2 '~아/어/여 주다'は'~てあげる' '~てくれる'という意味で、謙譲語は'~아/어/여 드리다'である。

> **써 주세요.** :書いてください。

여권 번호를 써 주세요. パスポート番号を書いてください。
yeogwon beonhoreul sseo juseyo

신청서를 작성해 주세요. 申込書を書いてください。
sincheongseoreul jakseonghae juseyo

비밀 번호를 적어 주세요. 暗証番号を書いてください。
bimil beonhoreul jeogeo juseyo

잠시만 기다려 주세요. 少々お待ちください。
jamsiman gidaryeo juseyo

[参考] '動詞＋～어 / ～아주다' のように '複合動詞' を作る時、묻다, 먹다, 쓰다のように '～다' の前の母音が 'ㅜ' 'ㅡ' 'ㅓ' の場合は '어' が付いて '물어 주다' '먹어 주다' '써 주다' になり、'ㅗ' の場合は '아' が付いて '보다' → '봐 주다' '오다' → '와 주다' になる。また、'ㅏ' の場合は '～아' が付いて '가다' → '가 주다' '사다' → '사 주다' '살다' → '살아 주다' になる。但し、'하다' は '해 주다' になり、'ㅣ' の場合は '～여' が付いて '보이다' → '보여 주다' になる。

③ '～은 / 는' は 'は' という意味で、'～에는' は '～には' になる。

여기에는 무엇을 씁니까? : ここには何を書きますか。

[参考] '～には' は韓国語で '～에는 / ～로는' になり、方向を表わす時は '～로는' になる('～へは' の意味)。また、朝、昼、今週、今月のように日を表わす言葉に 'は' をつける時、韓国語では '～에는' になる。

例) 아침에는 – 朝は、점심에는 – 昼は、이번 주에는 – 今週は、이번 달에는 – 今月は

④ '～고' は二つ以上の事実を単純に羅列する意味がある。

도장을 주시고 비밀 번호를 적어 주세요.
: 印鑑を下さい。そして暗証番号を書いてください。

신청서를 작성하고 사인해 주세요.
sincheongseoreul jakseonghago sainhae juseyo
申込書を書いて、サインしてください。

통장은 여기 있고 현금 카드는 여기 있습니다.
tongjang-eun yeogi itgo hyeongeumkadneun yeogi isseumnida
こちらは通帳で、こちらはキャッシュカードです。

⑤ '～아 / 어 / 여 보다' は '～てみる' という意味である。

확인해 보세요. : 確認してみてください。

찾아보세요. 調べて(探して)みてください。
chajaboseyo

가 보세요. 行ってみてください。
ga boseyo

기다려 보세요. 待ってみてください。
gidaryeo boseyo

1 例のように答えなさい。(1)～(3)

(1)

例

여기에는 무엇을 씁니까? (여권 번호) → 여권 번호를 써 주세요.
ここは何を書きますか。(パスポート番号) → パスポート番号を書いてください。

① 여기에는 무엇을 씁니까? (생년월일 生年月日)
→ ________________________

② 여기에는 무엇을 씁니까? (이름 氏名)
→ ________________________

③ 여기에는 무엇을 씁니까? (비밀 번호 暗証番号)
→ ________________________

④ 여기에는 무엇을 씁니까? (현주소 現住所)
→ ________________________

(2)

통장을 만들다. → 통장을 만들려고 하는데요.
通帳を作る。 → 通帳を作りたいのですが。

① 집에 가다. 家に帰る。
→ ________________________

② 공원에서 놀다. 公園で遊ぶ。
→ ________________________

③ 오늘 식당에서 밥을 먹다. 今日、食堂でご飯を食べる。
→ ________________________

④ 도서관에서 공부를 하다. 図書館で勉強をする。
→ ________________________

⑤ 방에서 책을 읽다. 部屋で本を読む。
→ ________________________

(3)

例

신청서를 작성하다. → 신청서를 작성해 주세요.
申込書を書く。 → 申込書を書いてください。

① 여기에 쓰다. ここに書く。
→ ______________

② 학교에 가다. 学校に行く。
→ ______________

③ 공책을 찾다. ノートを探す。
→ ______________

④ 책을 읽다. 本を読む。
→ ______________

⑤ 창문을 열다. 窓を開ける。
→ ______________

2 2つの文章を1つにしなさい。

(1) 도장을 주세요. 비밀 번호를 적어 주세요.

(2) 수미는 학교에 갑니다. 헨리는 은행에 갑니다.

(3) 수미는 오렌지를 먹습니다. 헨리는 귤을 먹습니다.

3 '少々お待ち下さい' という意味の韓国語を書きなさい。

読み取り練習

(1) 돈을 찾으려고 하는데요.
お金を下したいんですが。(下そうとしていますが)

(2) 지금 신청서를 작성해 주세요.
払戻請求書を書いてください。

(3) 비밀 번호, 도장, 주소, 여권이 필요합니다.
暗証番号、印鑑、住所、パスポートが必要です。

(4) 수표와 현금을 확인해 보세요.
小切手と現金を確認してみてください。

(5) 신분증을 주세요.
身分証明書をください。

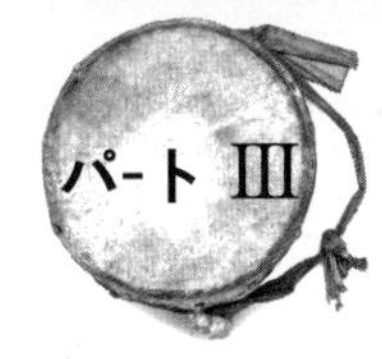

제 15 과

第15課

백화점에서　デパートで

重要表現

1. 운동화를 사려고 해요. 運動靴を買いたいのですが。(買おうと思っています。)
   undonghwareul saryeogo haeyo
2. 사이즈는 어떻게 되요? サイズはどのぐらいですか。
   saijeuneun eotteoke doeyo

会話

会話1

안내원: 무슨 매장을 찾으십니까? 何売り場を探していますか。
museun maejang-eul chajeusimnikka

존 : 운동화를 사려고 해요.
undonghwareul saryeogo haeyo
運動靴を買いたいのですが。

안내원: 운동화는 6층에 있습니다.
undonghwaneun yukcheung-e isseumnida
運動靴は6階にあります。

존 : 엘리베이터는 어디 있습니까?
ellibeiteoneun eodi itseumnikka
エレベーターはどこにありますか。

안내원: 엘리베이터는 저기에 있고, 에스컬레이터는 이쪽에 있습니다.
ellibeiteoneun jeogie itgo eskeolleiteoneun ijjoge isseumnida
エレベーターはあちらにあって、エスカレーターはこちらにあります。

존 : 알겠습니다.
algetseumnida
わかりました。

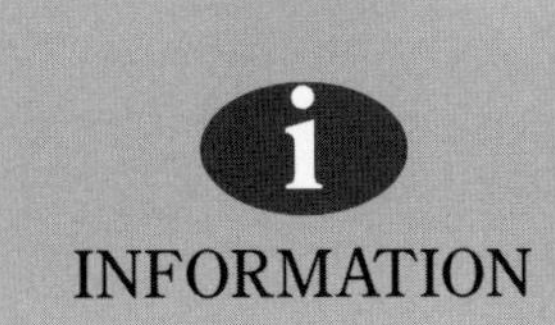

会話 2

존 : 운동화를 사려고 해요.
undonghwareul saryeogo haeyo
運動靴を買いたいのですが。

점원: 색깔은 파란색, 검은색, 흰색이 있어요.
saekkkareun paransaek, geomeunsaek huinsaegi isseoyo
色は青、黒、白があります。

상표는 나이키, 프로스펙스, 아디다스가 있어요.
sangpyoneun naiki peurospekseu adidaseuga isseoyo
ブランドはナイキ、プロスペックス、アディダスがあります。

일반 상표도 저쪽에 있어요.
ilbansangpyodo jeojjoge isseoyo
ノーブランドもあちらにあります。

존 : 흰색 나이키가 마음에 들어요.
huinsaek naikiga maeume deureoyo
白のナイキが気に入りました。

그러나 일반 상표도 싸고 좋군요.
geureona ilbansangpyodo ssago jokunyo
でも、ノーブランドも安くていいですね。

점원: 발 사이즈가 얼마입니까?
bal saijeuga eolmaimnikka
足のサイズはどのぐらいですか。

존 : 265mm예요. 26.5cmです。
ibaek-yuksibo mirimiteoyeyo

점원: 한번 신어 보세요.
hanbeon sineo boseyo
一度履いてみて下さい。

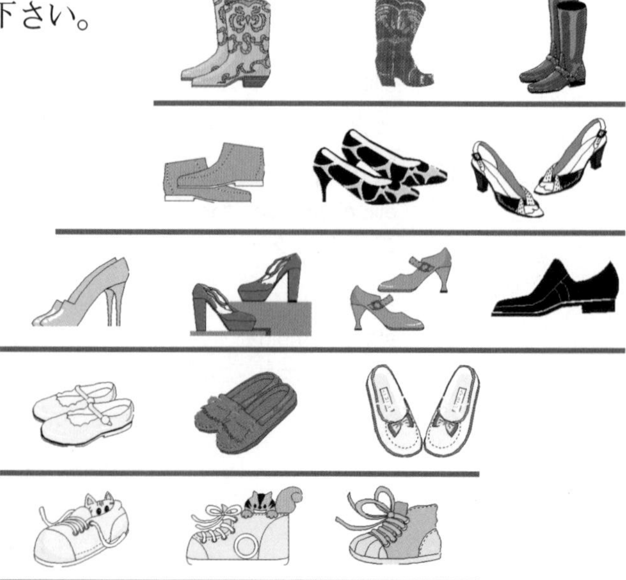

■基本語彙■

- 찾다 探す
- 엘리베이터 エレベーター
- 에스컬레이터 エスカレーター
- 저기에 あそこに
- 검은색 黒色
- 마음에 들다 気にいる
- 일반 상표 ノーブランド
- 사려고 해요 買いたいんですが。(買おうとしています。)
- 사이즈 サイズ
- 파란색 青色
- 흰색 白色
- 발 足
- 상표 ブランド
- 백화점 デパート
- 안내원 案内員
- ~도 ~も
- 한번 一度
- 사다 買う
- 6층 6階
- 색깔 色
- 신다 履く
- 운동화 運動靴

■関連語彙■

(色の呼び方については6ページを参照してください。)

■重要文型■

① '~(으)려고 하다' は話し手の意図や予定、計画等を表わす。日本語では '~ようとする' '~ようと思う' になる。

> **운동화를 사려고 해요.**
> : 運動靴を買いたいのですが。(運動靴を買おうとしています。)

운동화를 사려고 해요. 運動靴を買おうとしています。
undonghwareul saryeogo haeyo

백화점에 가려고 해요. デパートに行こうとしています。
baekhwajeome garyeogo haeyo

[参考] 直訳すると '~たいんですが' は '~고 싶은데요' という意味、'~ようとする' は '~(으)려고 하다' という意味である。

② '~아/어/여 보다' は、前の動作に対する試み、または経験や知覚、理解の意味を表わす。日本語では '~てみる' になる。

신어 보세요. : 履いてみてください。

한번 입어 보세요.　一度着てみて下さい。
hanbeon ibeo boseyo

한번 먹어 보세요.　一度食べてみて下さい。
hanbeon meogeo boseyo

③ '～은　～이/가　있어요' は日本語で '～は/～があります' になり、同等な物を羅列する時、' , ' で表わす。

색깔은 파란색, 검은색, 흰색이 있어요.
: 色は青、黒、白があります。

동물은 호랑이, 원숭이, 곰이 있어요.
dongmureun horang-i wonsung-i gomi isseoyo
動物は虎、猿、熊がいます。

신발은 운동화, 구두, 샌들이 있어요.
sinbareun undonghwa gudu saendeuri isseoyo
履物は運動靴、靴、サンダルがあります。

④ '～도' は名詞の後ろに用いられ、日本語の 'も' という意味になる。

일반 상표도 있어요. : ノーブランドもあります。

빨간색도 있어요.
ppalgansaekdo isseoyo
赤もあります。

연필도 있어요.
yeonpildo isseoyo
鉛筆もあります。

⑤ 対等関係の述語を羅列する時、'～고' を使う。また、その後ろに '～군요' を入れて感嘆や話し手の自覚等を表わす。日本語では '～て～ですね' になる。

일반 상표도 싸고 좋군요. : ノーブランドも安くていいですね。

나이키도 튼튼하고 좋군요.
naikido tteuntteunhago jokunyo
ナイキも丈夫でいいですね。

흰색도 깨끗하고 예쁘군요.
huinsaekdo kkaekkeutago yeppeugunyo
白もきれいでいいですね。

1 例を見て、下の文章を完成しなさい。(1)～(3)

(1)

例

어느 매장을 찾으세요? (와이셔츠를 사다.)
何売り場を探していますか。(ワイシャツを買う。)
→ 와이셔츠를 사려고 해요. ワイシャツを買おうとしていますよ。

① 어디를 찾으세요? (구두를 사다. 靴を買う。)
→ ______________________________

② 어디를 찾으세요? (양복을 사다. スーツを買う。)
→ ______________________________

③ 어디를 찾으세요? (색동이불을 사다. セットン布団を買う。)
→ ______________________________ ※ '색동' とは五色の縞の布地

④ 어디를 찾으세요? (전자 제품을 사다. 電化製品を買う。)
→ ______________________________

(2)

例

식료품 매장은 어디입니까? (지하 1층) 食料品売り場はどこですか。(地下1階)
→ 식료품 매장은 지하 1층입니다. 食料品売り場は地下1階です。

① 의류 매장(衣類売り場)은 어디입니까? (5층)
→ ______________________________

② 신사복 매장(紳士服売り場)은 어디입니까? (3층)
→ ______________________________

③ 전자 제품 매장(電化製品売り場)은 어디입니까? (7층)
→ ______________________________

(3)

例

얼마예요? (14,500원) いくらですか。
→ 만 사천오백 원입니다. 一万四千五百ウォンです。

(1) 이 공책(ノート)은 얼마예요? (430원)
→ ______________________________

(2) 이 주스(ジュース)는 얼마예요? (3,200원)
→ ______________________________

(3) 그 과자(お菓子)는 얼마예요? (2,800원)

→ ______________________________

2 二つの文章を一つにしなさい。

(1) 엘리베이터는 저기에 있습니다. 에스컬레이터는 이쪽에 있습니다.
エレベーターはあそこにあります。エスカレーターはこちらにあります。

(2) 운동화는 6층에 있어요. 옷은 4층에 있어요.
運動靴は6階にあります。服は4階にあります。

(3) 프로스펙스는 이쪽에 있어요. 일반 상표는 저쪽에 있어요.
プロスペックスはこちらにあります。ノーブランドはあちらにあります。

3 '~도'を使って下の文章を書き直しなさい。

(1) 일반 상표가 싸고 좋아요.
ノーブランドが安くていいです。
→ ______________________________

(2) 검은색이 좋아요. 黒がいいです。
→ ______________________________

(3) 사과가 좋아요. りんごがいいです。
→ ______________________________

(4) 바지가 좋아요. ズボンがいいです。
→ ______________________________

(5) 한국어가 좋아요. 韓国語がいいです。
→ ______________________________

読み取り練習

(1) 셔츠를 사려고 해요. シャツを買おうとしていますが。

(2) 운동화는 4층에 있어요. 運動靴は4階にあります。

(3) 목 사이즈가 얼마입니까? 首のサイズはどのぐらいですか。

(4) 검은색 프로스펙스 운동화가 마음에 들어요.
黒のプロスペックスの運動靴が気に入っています。

(5) 한번 신어 보세요. 一度履いてみて下さい。

제 16 과

第 16 課

편지 쓰기 手紙を書く

重要表現

1. 어떻게 지내셨습니까? お元気ですか。
   eotteoke jinaesyeotseumnikka
2. 연락을 기다리겠습니다. ご連絡お待ちしております。
   yeollageul gidarigetseumnida

알 림

お知らせ

사무엘 로이그 씨에게 サムエル ロイグさんへ
samuel roigeu ssiege

안녕하세요? 어떻게 지내셨습니까? 태평양 대학교 한국어반 졸업생과 재학생의 친목 모임이 있습니다. 부디 오셔서 동문들과 의미 있는 시간을 가지시기 바랍니다.
annyeonghaseyo eotteoke jinaesyeotseumnikka taepyeongyang daehakgyo hankugeoban joreopsaenggwa jaehaksaeng-ui chinmok moimi itseumnida budi osyeoseo dongmundeulgwa uimiinneun siganeul gajisigi baramnida
こんいちは。お元気ですか。太平洋大学の韓国語クラス卒業生と在学生の親睦会があります。ぜひいらっしゃって同窓生と有意義な時間をお過し下さい。

일 시 : 5월 5일 (日時)
장 소 : 종로 2가 미리내 레스토랑 (場所)
시 간 : 12:00 PM (時間)
준비물 : 식사비 (準備する物 : 食事代)

만나 뵙기를 바랍니다. 안녕히 계십시오.
manna boepgireul baramnida annyeonghi gyesipsio
お会いできることを楽しみにしております。さようなら。

2004년 4월 20일(2004年 4月 20日)
존 알렌 올림(ジョンアルレンより)
한국어반 동문회장(韓国語クラス 同窓会長)

초 대 장

招待状

유미 씨에게 (ユミさんへ)
yumi ssiege

어떻게 지내셨어요?

이번 3월 17일에 존의 생일 파티가 있습니다. 하지만 존에게는 비밀이에요. 깜짝파티를 해 주고 싶거든요. 시간이 나면 저의 집으로 5시까지 오세요. 낸시와 가드윈 그리고 차오민도 올 것입니다. 존에게는 7시에 잠시 들르라고 부탁했어요.

eotteoke jinaesyeosseoyo

ibeon samwol sipchilile jonui saengil patiga itseumnida hajiman jonegeneun bimirieyo kkamjjak patireul haejugo sipgeodeunyo sigani namyeon jeoui jibeuro daseosikkaji oseyo naensiwa gadeuwin geurigo chaomindo ol geosimnida jonegeneun ilgopsie jamsi deulreurago butakhaesseoyo

お元気ですか。

今度の3月17日にジョンのバースデーパーティーがあります。でもジョンには秘密ですよ。サプライズパーティーをしてあげたいのです。時間がありましたら私の家に5時までに来てください。ナンシーとガドウィンそしてジャオミンも来る予定です。ジョンには7時にちょっと寄って下さいと頼みました。

회답을 기다릴게요. (お返事をお待ちしております。)
hoedabeul gidarilgeyo

안녕히 계세요. (さようなら。)
annyeonghi geseyo

2004년 3월 5일(2004年 3月 5日)
브라이언 드림(ブライアンより)

▪基本語彙▪

- 알림 お知らせ
- 졸업생 卒業生
- 가지다 持つ
- 잘 よく
- 오세요 来て下さい。
- 한국어반 韓国語クラス
- 바라다 願う
- 초대장 招待状
- 비밀 秘密
- 올 것이다 来るだろう
- ~고 싶다 ~したい
- 생일 파티 バースデーパーティー
- 시간이 나다 時間がある
- 깜짝파티 サプライズパーティー
- 그 동안 その間
- 친목 親睦
- 준비물 準備する物
- 오다 来る
- 기다리다 待つ
- 재학생 在学生
- 장소 場所
- 연락 連絡
- 부탁하다 頼む
- 들르다 寄る
- 잠시 ちょっと
- 해 주다 してあげる
- 동문 同窓/同窓生
- 지내다 過ごす
- 부디 ぜひ
- 집 家
- 동문회 同窓会
- ~씨에게 さんへ
- 이번 今度
- 그날 その日
- 하지만 しかし
- ~까지 まで
- 의미있는 有意義な
- 모임 集まり

▪関連語彙▪

그저께	おととい
어제	きのう
오늘	今日

▪重要文型▪

1 手紙を書く時、受取人の名前の後ろに '~씨께 / ~님께 / ~에게' を書く。'~에게' は友達、または子供に使い、'~께' は尊敬語で、目上の人に使う。

사무엘 로이그 씨에게	サムエルロイグさんへ
김유리 씨께	キムユリさんへ
이선미 선생님께	イ・ソンミ先生へ
지미에게	ジミへ(子供)

② 手紙を書く時の初めの挨拶である。

안녕하세요? 어떻게 지내셨습니까?
：こんにちは。お元気ですか。

③ 手紙を書く時の終りの挨拶である。

회답을 기다릴게요. 안녕히 계십시오. / 안녕히 계세요.
：お返事をお待ちしております。さようなら。/ さようなら。

만나 뵙기를 바랍니다. 안녕히 계십시오.
：お会いできることを楽しみにしております。さようなら。

④ 手紙を書く時、一番最後には送る日と差出人の名前を書く。名前の後ろに '올림' や '드림'、'씀' が用いられるが、普通は '드림' を使い、'올림' は目上の人に、'씀' は友達同士や目下の人に使われる。

2003년 1월 28일 존 알렌 올림	2003년 2월 3일 사무엘 로이그 드림	2003년 3월 2일 김유리 씀

서울특별시 은평구 대조동 1번지
태평양 대학교 한국어반
이영주 올림
122-030

切手

경기도 안양시 만안구 박달 2동
사무엘 로이그 귀하
430-032

練習問題

1 手紙を書く時、挨拶のことばを書く前に何を書きますか。下の名前を使って答えなさい。

(1) 이수미 → ________

(2) 존 알렌 → ________

(3) 김유리 → ________

(4) 이영주 선생님 → ________

(5) 박지미(子供) → ________

2 手紙を書く時の初めての挨拶を書きなさい。

→ ________________________

3 手紙を書く時の終りの挨拶を書きなさい。

→ ________________________

4 日付と差出人を手紙の儀式に従って書きなさい。

(1) 2003년 1월 5일, 김영자　　(彼女は父母に書いている。)

(2) 2003년 2월 21일, 이인수　　(彼は先生に書いている。)

(3) 2003년 3월 13일, 박혜진　　(彼女は友達に書いている。)

5 韓国語クラスの学生にエバーランドへ行くことを知らせる手紙が書きなさい。
5月5日11時、正門の前で会うことと仮定して、手紙の様式に従って書きなさい。

6 韓国人の友達に手紙を書きなさい。

練習問題

7 下の差出人と受取人の住所を手紙の様式に従って封筒に書きなさい。受取人は差出人より目上です。

差出人	名前：김은희
	住所：서울특별시 광진구 자양동 211번지 은마아파트 201동 502호
	郵便番号：148-204
受取人	名前：박진우
	住所：대구광역시 남구 대명동 123번지
	郵便番号：192-143

読み取り練習

(1) 어떻게 지내셨습니까?
お元気ですか。（ご機嫌いかがでしょうか。）

(2) 다섯 시까지 오세요.
5時までに来てください。

(3) 6월 21일 혜영이의 결혼식이 있습니다.
6月21日ヘヨンの結婚式があります。

(4) 연락을 기다리겠습니다.
ご連絡をお待ちしております。

(5) 만날 수 있기를 바랍니다.
お会いできることを楽しみにしております。

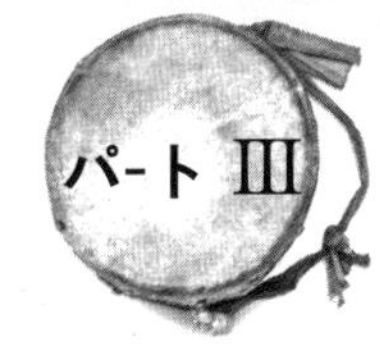

제 17 과

第 17 課

어디가 아프십니까? どこが痛いのですか。

重要表現

1. 등이 아파서 움직일 수가 없습니다. 背中が痛くて動けません。
deung-i apaseo umjigil suga eopsseumnida
2. 금방 나아지겠습니까? すぐ治りますか。
geumbang naajigetseumnikka

▪会 話▪

会 話 1

119대원: 119 구조대입니다. 119番救急隊です。
il-il-gu gujodaeimnida

푸 휘: 계단에서 넘어졌는데 움직일 수가 없습니다.
gyedaneseo neomeojyeotneunde umjigil suga eopseumnida
階段でころびましたが、起きあがることができません。

도와 주세요. 助けて下さい。
dowajuseyo

119대원: 주소와 전화 번호를 천천히 말씀해 주십시오.
jusowa jeonhwa beonhoreul cheoncheonhi malseumhae jusipsio
ご住所と電話番号をゆっくりおっしゃって下さい。

푸 휘: 주소는 강남구 신사동 11번지이고,
jusoneun gangnam-gu sinsa-dong sibilbeonjiigo
住所は江南区新沙洞11番地で、

전화 번호는 511-2936입니다.
jeonhwa beonhoneun o-il-il-i-gu-sam-yukimnida
電話番号は511-2936です。

119대원: 예, 알겠습니다. 곧 가겠습니다.
ye algesstseumnida got gagetseumnida
はい、わかりました。 すぐ行きます。

会 話 2

(병원에서) (病院で)
byeongwoneseo

의 사: 어디가 아프십니까? どこが痛いのですか。
eodiga apeusimnikka

푸 휘: 등이 아파서 움직일 수가 없습니다.
deungi apaseo umjigil suga eopsseumnida
背中が痛くて動けません。

의 사: 찜질약을 매일 등에 붙이십시오.
jjimjilyageul maeil deunge buchisipsio
湿布を毎日背中に貼って下さい。

진통제는 식사 후에 드세요.
jintongjeneun siksa hue deuseyo
鎮痛剤は食後にお飲み下さい。

푸 휘: 금방 나아지겠습니까? すぐ治りますか。
geumbang naajigetseumnikka

의 사: 3, 4일이면 나아질 거라고 생각합니다.
sam, sailimyeon naajil georago saenggakhamnida
3、4日たてば治ると思いますよ。
하지만, 심한 운동은 하지 마십시오.
hajiman, simhan undong-eun haji masipsio
でも、激しい運動はしないでください。

푸 휘: 예, 감사합니다. はい、ありがとうございました。
ye, gamsahamnida

■基本語彙■

- 붙이다 貼る
- 식사 후 食後
- 나아지다 治る/よくなる
- 삼, 사(3, 4)일이면 3、4日なら
- 말(말씀)하다 言う、話す
- 드세요 お飲みください。
- 아프다 痛い/悪い
- 나아질 거라고 良くなると
- 돕다 助ける
- 운동 運動
- 도와 주세요 助けてください。
- 119구조대 119番救急隊
- 전화 번호 電話番号
- 천천히 ゆっくり
- 어디 どこ
- 진찰 診察
- 매일 毎日
- 하지만 しかし/でも
- 하다 する
- 움직이다 動く
- 심한 激しい＋名詞
- 찜질약 湿布
- 말씀해 주세요 おっしゃって下さい。
- ~ 수 없다 ~ことが出来ない
- 넘어지다 ころぶ
- 생각하다 思う
- ~마십시오 ~ないで下さい。
- 등 背中
- 주소 住所
- ~ 후 ~後
- 가겠습니다 行きます。
- 계단 階段
- 금방(곧) すぐ
- 진통제 鎮痛剤

■関連語彙■

병에 관한 표현(病気に関する表現)

목이 아프다　喉が痛い
mogi apeuda

머리가 아프다　頭が痛い
meoriga apeuda

열이 있다　熱がある
yeori itda

이가 아프다　歯が痛い
iga apeuda

피부가 가렵다　皮膚がかゆい
pibuga garyeopda

콧물이 나다 鼻水が出る
konmuri nada

주사를 놓다　注射をする
jusareul nota

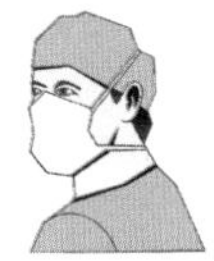

수술하다　手術する
susulhada

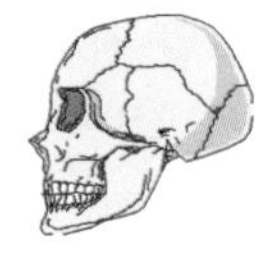

엑스레이를 찍다 レントゲンをとる
eks-reireul jjikda

■重要文型■

1 '～아 / ～어 / ～여서' は動詞の原因や理由を表わし、'～수(가) 없다' は '～が出来ない' という意味で、'～아 / ～어 / ～여서 ～수(가) 없다' は '～て ～が出来ない' になる。

> **등이 아파서 움직일 수가 없습니다.**
> : 背中が痛くて動けません。

머리가 아파서 걸어갈 수가 없습니다.
meoriga apaseo georeogal suga eopsseumnida
頭が痛くて歩けません。

목이 아파서 밥을 먹을 수가 없습니다.
mogi apaseo babeul meogeul suga eopsseumnida
喉が痛くて御飯が食べられません。

콧물이 나서 공부할 수가 없습니다.
konmuri naseo gongbuhal suga eopsseumnida
鼻水が出て、勉強が出来ません。

늦게 자서 일어날 수가 없습니다.
neutge jaseo ireonal suga eopsseumnida
遅く寝て、起きられません。

② '～(으)ㄹ거라고 생각합니다' は話し手の推測や思ったことを表わす。日本語では '～と思います' になる。

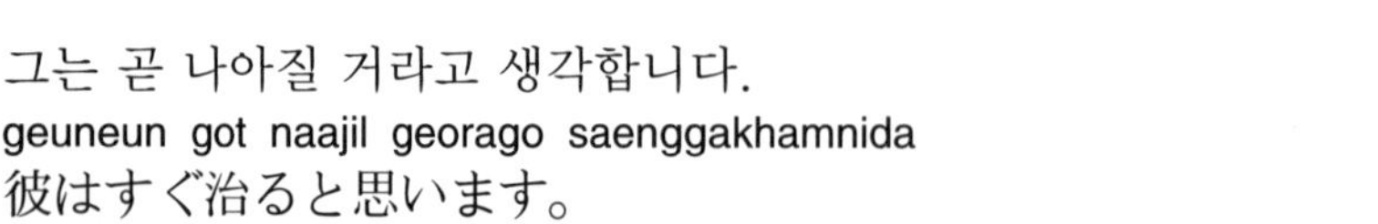

3, 4 일이면 나아질 거라고 생각합니다.
：3、4日たてば治ると思います。

그는 한국어를 공부할 거라고 생각합니다.
geuneun hangugeoreul gongbuhal georago saenggakhamnida
彼は韓国語を勉強すると思います。

그는 내일 결석할 거라고 생각합니다.
geuneun naeil gyeolseokal georago saenggakhamnida
彼は明日欠席すると思います。

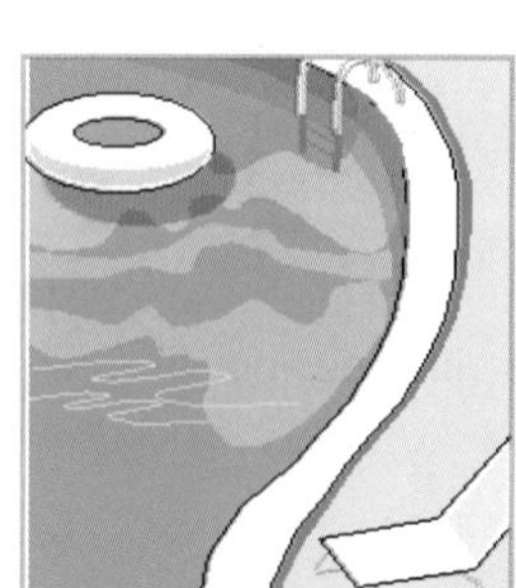

그는 이번 주까지 올 거라고 생각합니다.
geuneun ibeon jukkaji ol georago saenggakhamnida
彼は今週までに来ると思います。

그는 수영장에서 수영할 거라고 생각합니다.
geuneun suyeongjang-eseo suyeonghal georago saenggakhamnida
彼はプールで泳ぐと思います。

그는 곧 나아질 거라고 생각합니다.
geuneun got naajil georago saenggakhamnida
彼はすぐ治ると思います。

③ '～지 마십시오' は否定命令文で、'술은 마시지 마십시오' というと 'お酒は飲まないでください' になり、'～을 / 를' の代わりに '～은 / 는' を使って強調している。

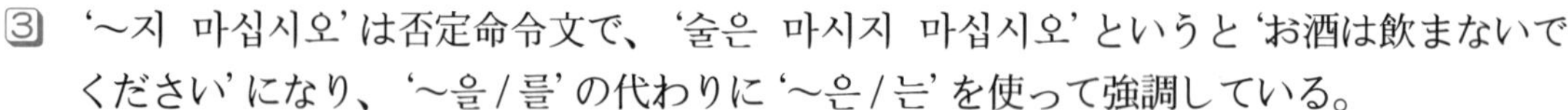

심한 운동은 하지 마십시오.
：激しい運動はしないで下さい。

술은 마시지 마십시오.
sureun masiji masipsio
お酒は飲まないで下さい。

결석은 하지 마십시오.
gyeolseogeun haji masipsio
欠席はしないで下さい。

담배는 피우지 마십시오.
dambaeneun piuji masipsio
煙草は吸わないでください。

④ '～고' は二つ以上の文章を連結する時に使う。名詞の後では '～이고'、動詞や形容詞の後では '～고' になる。日本語では '～て' である。

저는 나이지리아 사람이고, 친구는 한국 사람입니다.
jeoneun naijiria saramigo chin-guneun hanguk saramimnida
私はナイジェリア人で、友達は韓国人です。

저는 도서관에 가고, 친구는 식당에 갑니다.
jeoneun doseogwane gago chin-guneun sikdang-e gamnida
私は図書館へ行って、友達は食堂へ行きます。

⑤ '～겠' は未来を表わす言葉で動詞、形容詞語幹の後に使う。

금방 나아지겠습니까?
geumbang naajigetseumnikka
すぐ治りますか。

내일 전화하겠습니다.
naeil jeonhwahagetseumnida
明日お電話します。

⑥ '～는(은)데' は先行文で動詞や状態を表わし、先行文の状況を受けて後続文で説明する時に使う。日本語では '～のに'、'～が'、'～ので' になる。

넘어졌는데 움직일 수가 없습니다.
neomeojyeonneunde umjigil suga eopsseumnida
倒れたので動けません。

공부하는데 조용히 하십시오.
gongbuhaneunde joyonghi hasipsio
勉強するので静かにして下さい。

練習問題

1 例のように文章を変えなさい。(1)～(2)

(1)

例
허리가 아프다. → 허리가 아파서 공부할 수가 없습니다.
腰が痛い。 → 腰が痛くて勉強することができません。

① 열이 있다. → ______________________ (熱がある。)
② 목이 아프다. → ______________________ (喉が痛い。)

③ 기침이 나다. → ______________________ (咳がでる。)

④ 콧물이 나다. → ______________________ (鼻水が出る。)

⑤ 머리가 아프다. → ______________________ (頭が痛い。)

(2)

例

움직이다. → 움직일 수가 없습니다.
動く。→ 動けません。

① 밥을 먹다. → __________　② 잠을 자다. → __________

③ 운동을 하다. → __________　④ 일찍 일어나다. → __________

⑤ 술을 마시다. → __________

2 本文の内容を読んで、下の質問に答えて、会話練習をしなさい。

(1) 금방 나아지겠습니까? すぐ治りますか。

(2) 언제, 왜 갔었습니까? いつ、なぜ行きましたか。

(3) 어디가 아팠습니까? どこが痛かったのですか。

(4) 의사 선생님은 무슨 말씀을 하셨습니까?
お医者さんは何とおっしゃいましたか。

読み取り練習

(1) 계단에서 넘어져 119 구조대에 전화를 걸었습니다.
階段でころびましたので119番救急隊に電話をかけました。

(2) 주소와 전화 번호를 말씀해 주세요.
ご住所と電話番号をおっしゃってください。

(3) 다리가 아파서 움직일 수가 없습니다.
足が痛くて動けません。

(4) 의사가 진통제를 주었습니다.
医者が鎮痛剤をくれました。

(5) 3, 4일이면 나아질 거라고 했습니다.
3、4日で治ると言いました。

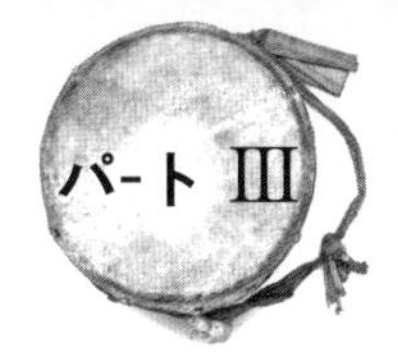

제 18 과

第 18 課

무슨 운동을 좋아하십니까?
どんな運動が好きですか。

重要表現

1. 테니스는 좋아하지 않지만, 수영은 좋아합니다.
tenisneun joahaji anchiman suyeong-eun joahamnida
テニスは好きではありませんが、水泳は好きです。

2. 무슨 음료수를 좋아하십니까? どんな飲み物が好きですか。
museun eumryosureul joahasimnikka

会 話

会 話 1

푸휘: 어제는 무엇을 하셨습니까?
eojeneun mueoseul hasyeotseumnikka
昨日は何をしましたか。

영주: 운동과 쇼핑을 했습니다.
undonggwa syoping-eul haetseumnida
運動とショッピングをしました。

푸휘: 무슨 운동을 좋아하십니까?
museun undong-eul joahasimnikka
どんな運動が好きですか。

영주: 테니스를 좋아합니다. テニスが好きです。
teniseureul joahamnida

푸휘 씨는 어떻습니까? プヒさんはどうですか。
puhwi ssineun eotteoseumnikka

푸휘: 저는 테니스는 좋아하지 않지만, 수영은 좋아합니다.
jeoneun tenisneun joahaji anchiman suyeong-eun joahamnida
私はテニスは好きではありませんが、水泳は好きです。

영주: 저도 수영을 좋아하니까, 이번 주말에 수영하러 같이 가지 않겠습니까?
jeodo suyeong-eul joahanikka ibeon jumale suyeonghareo gachi gaji anketseumnikka
私も水泳が好きですから、今週の週末に一緒に泳ぎに行きませんか。

푸휘: 예, 좋습니다. はい、いいですね。
ye jossumnida

会 話 2 (수영장에서) (プールで)
suyeongjang-eseo

영주: 푸휘 씨는 정말로 수영을 잘 하시는군요.
puhwi ssineun jeongmallo suyeong-eul jal hasineun-gunyo
プヒさんは本当に水泳がお上手ですね。

이제 음료수를 마시러 가지 않겠습니까?
ije eumryosureul masireo gaji anketseumnikka
今から飲み物を飲みに行きませんか。

푸휘: 그렇게 합시다. そうしましょう。
geureoke hapsida

무슨 음료를 좋아합니까? どんな飲み物が好きですか。
museun eumryoreul joahamnikka

영주: 오렌지 주스, 사이다, 콜라는 좋아합니다만, 커피는 좋아하지 않습니다.
orenji jus saida kollaneun joahamnidaman keopineun joahaji ansseumnida
オレンジジュース、サイダー、コーラは好きですが、コーヒーは好きではありません。

푸휘: 저도 커피는 싫어합니다.
jeodo keopineun sireohamnida
私もコーヒーは嫌いです。

영주: 저기에 자판기가 있습니다.
jeogie japangiga itseumnida
あそこに自動販売機があります。

■基本語彙■

- 어제 昨日
- 무슨 どんな
- 테니스 テニス
- 저 私
- 정말로 本当に
- 음료수 飲み物
- 사이다 サイダー
- 저기에 あそこに
- 좋습니다 いいですね。
- 자판기 自動販売機
- 싫어하다 嫌いだ
- 쇼핑 ショッピング
- 좋아하다 好きです
- 않다 ～ない
- 이번에 今度
- 잘 よく
- 마시다 飲む
- 콜라 コーラ
- 커피 コーヒー
- 무엇을 何を
- 있다 ある
- 어떻습니까? どうですか
- 수영 水泳
- 주말 週末
- 같이 共に
- 이제 今から
- 그렇게 そんなに
- 오렌지 주스 オレンジジュース
- 좋아합니다만 好きですが
- 마실 것 飲み物
- 수영하러 泳ぎに
- 가지 않겠습니까? 行きませんか。
- 좋아하지 않지만 好きではありませんが

▪関連語彙▪

스포츠（スポーツ）

농구를 하다
nong-gureul hada
バスケットボールをする

축구를 하다
chuk-gureul hada
サッカーをする

야구를 하다
yagureul hada
野球をする

테니스를 치다
teniseureul chida
テニスをする

골프를 치다
golpeureul chida
ゴルフをする

스키를 타다
skireul tada
スキーをする

수영을 하다
suyeong-eul hada
水泳をする

태권도를 하다
taegwondoreul hada
テコンドーをする

▪重要文型▪

1 '何' という意味は '무슨' と '무엇' があり、'무슨' は名詞の前に、'무엇' は主語または目的語として叙述語の前に使う。また '무슨' は 'どんな' という意味でも使われる。

무슨 운동을 좋아하십니까?
どんな運動が好きですか。

무엇을 좋아하십니까?
何が好きですか。

무슨 요리를 좋아하십니까?
museun yorireul joahasimnikka
どんな料理が好きですか。

무슨 음악을 좋아하십니까?
museun eumageul joahasimnikka
どんな音楽が好きですか。

무슨 색을 좋아하십니까?
museun saegeul joahasimnikka
どんな色が好きですか。

무슨 과일을 좋아하십니까?
museun gwaireul joahasimnikka
どんな果物が好きですか。

2 '~을 / 를 좋아하다' は日本語で '~が好きです' になる。

수영을 좋아합니다. : 水泳が好きです。

야구하는 것을 좋아합니다.
yaguhaneun geoseul joahamnida
野球をするのが好きです。

탁구 치는 것을 좋아합니다.
takgu chineun geoseul joahamnida
ピンポンをするのが好きです。

스키 타는 것을 좋아합니다.
ski taneun geoseul joahamnida
スキーをするのが好きです。

태권도하는 것을 좋아합니다
taegwondohaneun geoseul joahamnida
テコンドーをするのが好きです。

테니스 치는 것을 좋아합니다.
teniseu chineun geoseul joahamnida
テニスをするのが好きです。

③ '～지만' は逆接を表わす '～が' の意味で、否定型は '～지 않지만' になる。

수영은 좋아하지만, : 水泳は好きですが、
수영은 좋아하지 않지만, : 水泳は好きではありませんが、

수영은 좋아하지 않지만, 테니스는 좋아합니다.
suyeong-eun joahaji anchiman teniseuneun joahamnida
水泳は好きではありませんが、テニスは好きです。

영화는 좋아하지만, 음악은 좋아하지 않습니다.
yeonghwaneun joahajiman eumageun joahaji ansseumnida
映画は好きではありませんが、音楽は好きです。

④ '～지 않겠습니까?' は '～ませんか' で、勧誘する時に使う。

주말에 테니스 치러 가지 않겠습니까?
: 週末にテニスをしに行きませんか。

골프 치러 가지 않겠습니까?
golpeuchireo gaji anketseumnikka
ゴルフをしに行きませんか。

영화 보러 가지 않겠습니까?
yeonghwa boreo gaji anketseumnikka
映画を見に行きませんか。

식사하러 가지 않겠습니까?
siksahareo gaji anketseumnikka
食事をしに行きませんか。

⑤ '~(으)러 가다' は '~に行く' で、動詞に '~(으)러' を付けて目的を表わす。

수영하러 갑니다. : 泳ぎに行きます。
주스를 마시러 갑니다. : ジュースを飲みに行きます。

레스토랑에 점심을 먹으러 갑니다. レストランに昼ごはんを食べに行きます。
restorang-e jeomsimeul meogeureo gamnida

도서관에 공부를 하러 갑니다. 図書館に勉強をしに行きます。
doseogwane gongbureul hareo gamnida

⑥ '~(으)니까' は先行文の動作や状態が後続文の理由になる場合使う。日本語では 'ので' 'から' になる。

수영을 좋아하니까, 같이 가겠습니다.
: 水泳が好きなので、一緒に行きます。

한국에서 살았으니까, 한국말을 잘합니다.
hangugeseo sarasseunikka hangukmareul jalhamnida
韓国に住んでいましたので、韓国語が得意です。

練習問題

1 例のように下の単語を韓国語で書きなさい。

例
学校（학교）

(1) 好きだ（　　）　(2) 水泳（　　）　(3) 嫌いだ（　　）
(4) よくできる（　　）　(5) スポーツ（　　）　(6) テニス（　　）

2 例のように文章を完成しなさい。

例
테니스, 수영 → 테니스는 좋아하지 않지만, 수영은 좋아합니다.
テニスは好きではありませんが、水泳は好きです。

(1) 커피, 주스 → ______________________

(2) 사과, 바나나 → ____________________
(3) 야구, 농구 → ____________________
(4) 쓰기, 읽기 → ____________________
(5) 라면, 자장면 → ____________________

3 例のように提案する文章を作りなさい。

> **例**
> 골프치다 → 골프치러 갑시다. ゴルフをする。→ ゴルフをしに行きましょう。

(1) 밥을 먹다. → ____________________
(2) 영화 보다. → ____________________
(3) 커피를 마시다. → ____________________
(4) 수영을 하다. → ____________________
(5) 한국어를 공부하다. → ____________________

4 本文の内容を読んで、下の質問に答えて、会話練習をしなさい。

(1) 무슨 운동을 좋아하십니까? どんな運動が好きですか。
(2) 좋아하는 운동은 무엇입니까? 好きな運動は何ですか。
(3) 무슨 운동을 잘하십니까? どんな運動が得意ですか。
(4) 무슨 음료를 좋아하십니까? どんな飲み物が好きですか。

読み取り練習

(1) 어제는 운동과 쇼핑을 했습니다.
昨日は運動とショッピングをしました。

(2) 저는 농구를 좋아하지만, 테니스는 좋아하지 않습니다.
私はバスケットボールは好きですが、テニスは好きではありません。

(3) 무슨 음료수를 드시겠습니까?
どんな飲み物が好きですか。

(4) 영주 씨와 저는 커피를 싫어합니다.
ヨンジュさんと私はコーヒーが嫌いです。

(5) 주말에 탁구장에 같이 가지 않겠습니까?
週末に卓球場へ一緒に行きませんか。

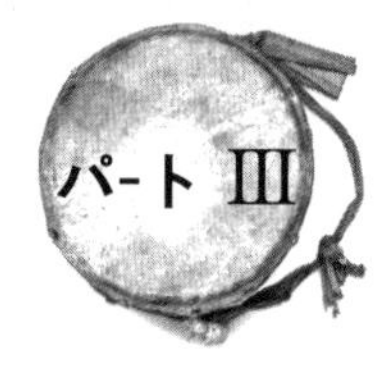

제 19 과

第 19 課

세탁물을 맡기려고 합니다.

洗濯物を預けるつもりです。

重要表現

1. 재킷을 세탁하려고 합니다.　　ジャケットを洗濯したいんです。
   jaekiseul setakharyeogo hamnida
2. 금요일 오후까지 배달해 드리겠습니다.　　金曜日の午後までに配達します。
   geumyoil ohukkaji baedalhae deurigetseumnida

▪会 話▪

会 話 1

영주: 푸휘 씨, 재킷이 아주 멋있군요.
puhwi ssi jaekisi aju meoditgunyo
プヒさん、ジャケットがすごく素敵ですね。

푸휘: 어제 남대문 시장에서 샀습니다.
eoje namdaemun sijang-eseo satseumnida
昨日、南大門市場で買いました。

영주: 그런데, 재킷에 무엇이 묻었군요.
geureonde jaekise mueosi mudeotgunyo
でも、ジャケットに何かついてますね。

푸휘: 이런! 사자마자 더러워졌군요. 어떻게 하면 좋겠습니까?
ireon sajamaja deoreowojyeotgunyo otteoke hamyeon joketseumnikka
あら! 買ったばかりなのに(買うやなや)汚れましたね。
どうすればいいでしょうか。

영주: 옆 건물 2층에 세탁소가 있습니다. 같이 갈까요?
yeop geonmul icheung-e setaksoga isseumnida gachi galkkayo
隣のビルの2階にクリーニング屋があります。
一緒に行きますか。

푸휘: 아니오, 괜찮습니다. いいえ、大丈夫です。
anio gwaenchanseumnida
혼자 갈 수 있습니다. 一人で行けますよ。
honja gal su itseumnida

会話 2　(세탁소에서) (クリーニング屋で)
setaksoeseo

푸휘: 실례합니다. 이 재킷을 세탁하려고 합니다.
sillyehamnida i jaekiseul setakharyeogo hamnida
ごめんください。このジャケットを洗濯したいんですが。

세탁소 주인: 이런! 많이 더러워졌군요.
ireon mani deoreowojyeotgunyo
まあ!すごく汚れてますね。
무엇이 묻었습니까?
mueosi mudeotseumnikka
何がついたんですか。

푸휘: 모르겠어요. 어제 샀는데…
moreugesseoyo eoje sanneunde...
わかりません。昨日買ったのに…
세탁비는 얼마입니까?
setakbineun eolmaimnikka
クリーニング代はいくらですか。

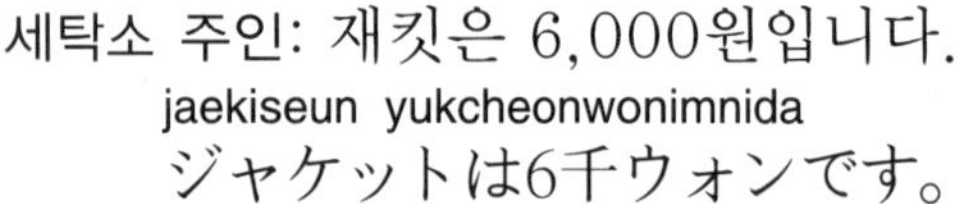

세탁소 주인: 재킷은 6,000원입니다.
jaekiseun yukcheonwonimnida
ジャケットは6千ウォンです。

푸휘: 이번 주 토요일에 입으려고 합니다만, 언제 찾으러 올까요?
ibeon ju toyoire ibeuryeogo hamnidaman eonje chajeureo olkkayo
今度の土曜日に着るつもりなんですが、いつ取りに来たらいいですか。

세탁소 주인: 금요일 오후까지 배달해 드리겠습니다.
geumyoil ohukkaji baedalhae deurigetseumnida
金曜日の午後までに配達します。

푸휘: 감사합니다. ありがとうございます。
gamsahamnida

■基本語彙■

- 재킷 ジャケット
- 어제 昨日
- 배달하다 配達する
- 더러워지다 汚れる
- 2층 二階
- 괜찮습니다 かまいません。
- 아주 すごく、とても
- 사다 買う
- 그런데 しかし
- 옆 隣
- 세탁소 クリーニング屋
- 혼자 一人
- 멋있다 素敵
- 묻다 付いている
- 이런 このような
- 건물 ビル、建物
- 같이 一緒に、共に
- 많이 すごく/たくさん

- 언제　いつ
- 금요일　金曜日
- 찾다　取りに行く
- 입다　着る
- 실례합니다　ごめんください。
- 배달해 드리다　配達いたします。
- 사자마자　買ったばかりなのに
- ~만　だけ
- 주인　主人
- 오후　午後
- 토요일　土曜日
- 모르다　わからない/知らない
- 감사합니다　ありがとうございます。
- 이번 주　今週
- 세탁비　クリーニング代
- 남대문 시장　南大門市場
- 세탁하려고　洗濯しようと

■関連語彙■

세탁을 하다
setageul hada
洗濯をする

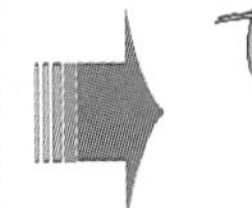

다림질을 하다
darimjireul hada
アイロンをかける

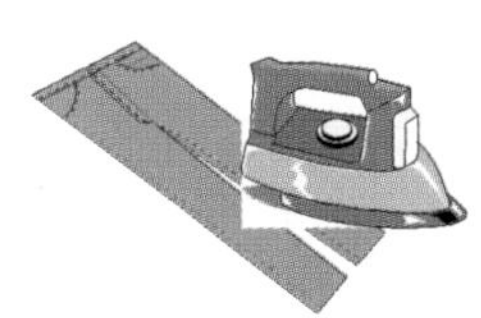
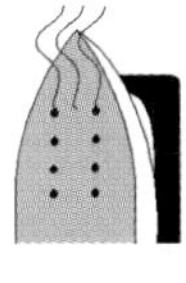

바짓단을 줄이다
bajitdaneul jurida
裾をつめる

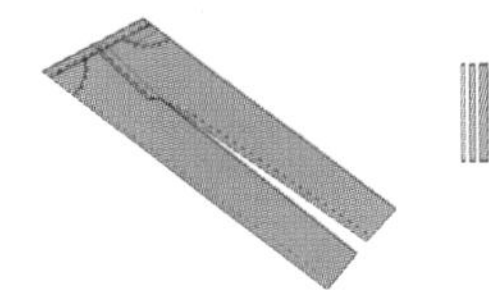
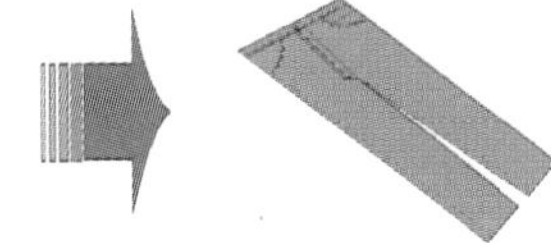

허릿단을 늘이다
heoritdaneul neurida
ウエストの部分を大きくする

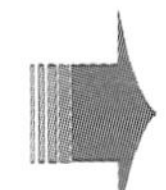

■重要文型■

1 '~자마자'は'~とすぐに''~やいなや'という意味で、前の動作が起こると同時にすぐ後続動作が続く時使う。

> **사자마자**：買ったばかりなのに(買うやいなや)

밥을 먹자마자 회사에 갔습니다.
babeul meokjamaja hoesae gatseumnida
御飯を食べてすぐ(食べるやいなや)会社へ行きました。

일어나자마자 학교에 갔습니다.
ireonajamaja hakgyoe gatseumnida
起きてすぐ(起きるやいなや)学校へ行きました。

집에 가자마자 친구에게 전화했습니다.
jibe gajamaja chinguege jeonhwahaetseumnida
家に帰ってすぐ(帰るやいなや)友達に電話をしました。

② '～(으)려고 하다' は計画や思ったことを表わす。日本語では '～するつもりだ' である。

> **이 재킷을 세탁하려고 합니다.**
> ：このジャケットを洗濯するつもりです。

무슨 운동을 하려고 합니까?
museun undong-eul haryeogo hamnikka
どんな運動をするつもりですか。

한국어를 공부하려고 합니다.
hangugeoreul gongbuharyeogo hamnida
韓国語の勉強をするつもりです。

친구를 만나려고 합니다.
chin-gureul mannaryeogo hamnida
友達に会うつもりです。

양복을 맡기려고 합니다.
yangbogeul matgiryeogo hamnida
スーツを預けるつもりです。

③ '～까지' は '～まで' という意味で、'期間' や '範囲' を表わす。

> **수요일까지 숙제를 제출하겠습니다.**
> ：水曜日まで宿題を提出します。

수원까지 40분 걸립니다. 水原まで40分かかります。
suwonkkaji sasipbun geollimnida

도서관까지 걸어갔습니다. 図書館まで歩いて行きました。
doseogwankkaji georeogatsemunida

밤 늦게까지 책을 읽었습니다. 夜遅くまで本を読みました。
bam neukkekkaji chaegeul ilgeotseumida

4시까지 한국어를 공부합니다. 4時まで韓国語を勉強しました。
nesikkaji hangugeoreul gongbuhamnida

練習問題

1 例のように '~겠' を使って未来を表わす文章を作りなさい。

例

세탁물을 맡기다 → 세탁물을 맡기겠습니다.
洗濯物を預ける。 → 洗濯物を預けます。

(1) 양복을 사다　スーツを買う。 → ________
(2) 세탁소에 가다　クリーニング屋へ行く。 → ________
(3) 선물을 배달하다　送り物を配達する。 → ________
(4) 토요일에 찾다　土曜日に取りに行く。 → ________
(5) 같이 가다　一緒に行く。 → ________

2 例のように書きなさい。

例

공부하다 → 공부하려고 합니다.
勉強する。 → 勉強するつもりです。

(1) 커피를 마시다　コーヒーを飲むつもりです。 → ________
(2) 수영을 하다　水泳をするつもりです。 → ________
(3) 세탁물을 맡기다　洗濯物を預けるつもりです。 → ________
(4) 일찍 자다　早く寝るつもりです。 → ________

3 例のように書きなさい。

파티가 끝나다 / 세탁소에 가다 → 파티가 끝나자마자 세탁소에 갔습니다.
パーティーが終るやいなやクリーニング屋へ行きました。

(1) 우유를 마시다 / 운동을 하다
→ ________

(2) 양복을 사다 / 세탁하다

→ ____________________

(3) 수업이 끝나다 / 식당에 가다

→ ____________________

(4) 일찍 일어나다 / 회사에 가다

→ ____________________

4 下の質問に答えて、討論しなさい。

(1) 세탁소에 간 적이 있습니까?
クリーニング屋に行ったことがありますか。

(2) 무엇을 했습니까?
何をしましたか。

(3) 세탁비는 양복 한 벌에 얼마입니까?
クリーニング代はスーツ一着でいくらですか。

読み取り練習

(1) 어제 백화점에서 재킷을 샀습니다.
昨日、デパートでジャケットを買いました。

(2) 세탁비는 얼마입니까?
クリーニング代はおいくらですか。

(3) 언제 찾으러 올까요?
いつ取りに来ますか。

(4) 투피스 한 벌에 6,000원입니다.
ツーピース一着で6,000ウォンです。

(5) 금요일 오후까지 배달해 드리겠습니다.
金曜日の午後までにお届け致します。

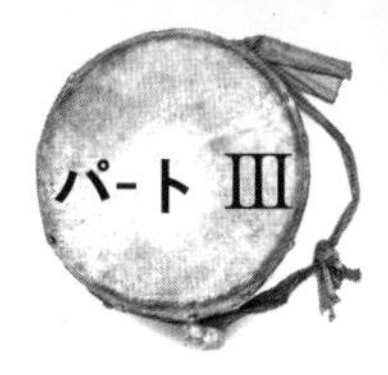

제 20 과
第 20 課

편지를 쓰고 있습니다.
手紙を書いています。

重要表現

1. 부모님께 편지를 쓰고 있습니다.　両親に手紙を書いています。
   bumonimkke pyeonjireul sseugo itseumnida
2. 이 편지를 중국으로 부치려고 합니다.　この手紙を中国に送ろうとしています。
   i pyeonjireul jung-gugeuro buchiryeogo hamnida

会 話

会 話 1

영주: 무엇을 하고 있습니까?
mueoseul hago itseumnikka
何をしていますか。

푸휘: 편지를 쓰고 있습니다.
pyeonjireul sseugo itseumnida
手紙を書いています。

영주: 누구에게 쓰고 있습니까?
nuguege sseugo itseumnikka
誰に書いていますか。

푸휘: 부모님께 쓰고 있습니다.
bumonimkke sseugo itseumnida
両親に書いています。

그런데 봉투는 어떻게 씁니까?
geureonde bongtuneun eotteoke sseumnikka
ところで、封筒はどのように書きますか。

30　74

보내는 사람　(빠른우편표시)　(우표첨부)
주소, 성명, 우편번호 기재
※발송인이 필요한 사항 기재가능　40

90 ~ 120

(우체국사용란)
등기취급시 접수국
등기번호표시
※이용자는 기재 불가

받는 사람
주소, 성명, 우편번호기재
※발송인이 필요한 사항 기재가능
□□□-□□□

※이 간격을 지키지 않으면 규격외 봉투로 간주되어 추가요금부담

140~235

(각 부분 기재위치는 ±5mm까지 가능)

영주: 앞면 중간 부분에 받을 사람의 주소와 이름을 쓰고,
apmyeon junggan bubune badeul saramui jusowa ireumeul sseugo
前面の中間部分に受取人の住所と名前を書き、

왼쪽 윗부분에 보내는 사람의 주소와 이름을 씁니다.
oenjjok witbubune bonaeneun saramui jusowa ireumeul sseumnida
左の上の部分に差出人の住所と名前を書きます。

푸휘: 소포를 부치려면 우체국에 가야 됩니까?
soporeul buchiryeomyeon ucheguge gaya doemnikka
小包を送るには郵便局に行かなくてはいけませんか。

영주: 예, 직접 가셔야 됩니다.
ye jikjeop gasyeoya doemnida
はい、直接行かなくてはいけません。

会話 2 (우체국에서) (郵便局で)
uchegugeseo

푸휘: 이 편지를 중국으로 부치려고 합니다.
i pyeonjireul jung-gugeuro buchiryeogo hamnida
この手紙を中国に送りたいんですが。

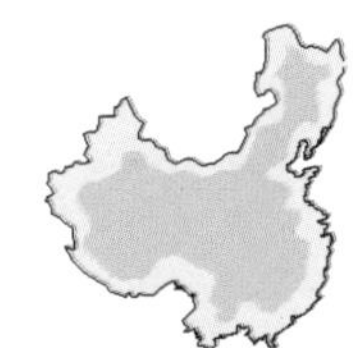

직원: 360원입니다. 360ウォンです。
sambaek-yuksip wonimnida

푸휘: 이 소포도 부쳐 주십시오.
i sopodo buchyeo jusipsio
この小包も送ってください。

직원: 4,200원입니다. 4,200ウォンです。
sacheonibaek wonimnida

깨지는 물건은 아닙니까?
kkaejineun mulgeoneun animnikka
割れ物ではありませんか。

푸휘: 예, 티셔츠와 손수건입니다.
ye tisyeocheuwa sonsugeonimnida
はい、Tシャツとハンカチです。

그런데 어느 정도 걸립니까?
geureonde eoneu jeongdo geolrimnikka
ところでどのぐらいかかりますか。

직원: 요즈음은 바빠서 1주일에서 10일 정도 걸립니다.
yojeueumeun bappaseo iljuireseo sibil jeongdo geolrimnida
この頃は忙しいので1週間から10日ぐらいかかります。

▪基本語彙▪

- 하다　する
- 쓰고 있다　書いている
- 받을 사람　受取人
- 우체국　郵便局
- 물건　物
- 티셔츠　Tシャツ
- 요즈음　このごろ
- 부모님　両親
- 중간 부분　中間部分
- 보내는 사람　差出人
- 직접　直接
- 아닙니까?　ではありませんか
- 가야 되다　行かなくてはいけません
- 편지　手紙
- 부모님께　両親に
- 윗부분　上の部分
- 깨지다　割れる
- 부쳐 주다　送ってあげる
- 어느 정도　どのぐらい
- 하고 있다　している
- 그런데　それで/しかし
- 주소　住所
- 부치다　送る
- 손수건　ハンカチ
- 바쁘다　忙しい
- 봉투　封筒
- 앞면　前面
- 이름　名前
- 소포　小包
- 중국　中国
- 바빠서　忙しくて
- 쓰다　書く
- 어떻게　どのように
- 왼쪽　左側
- 가다　行く
- 걸리다　かかる
- ~정도　ぐらい

▪関連語彙▪

국제우편 国際郵便
gukjeupyeon

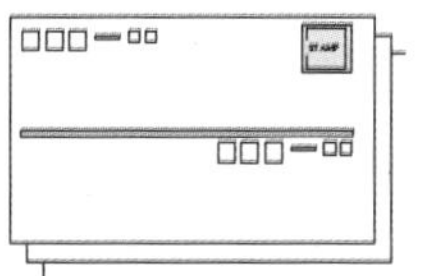

국내우편 国内郵便
guknaeupyeon

소포 小包
sopo

빠른우편　速達
ppareunupyeon

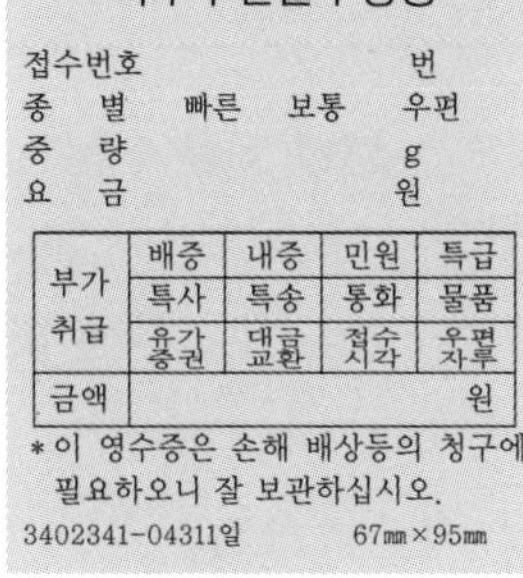

특수우편물수령증

접수번호　　번
종　별　빠른　보통　우편
중　량　　g
요　금　　원

부가취급	배증	내증	민원	특급
	특사	특송	통화	물품
	유가증권	대금교환	접수시각	우편자루
금액				원

＊이 영수증은 손해 배상등의 청구에 필요하오니 잘 보관하십시오.
3402341-04311일　67㎜×95㎜

등기　書留
deunggi

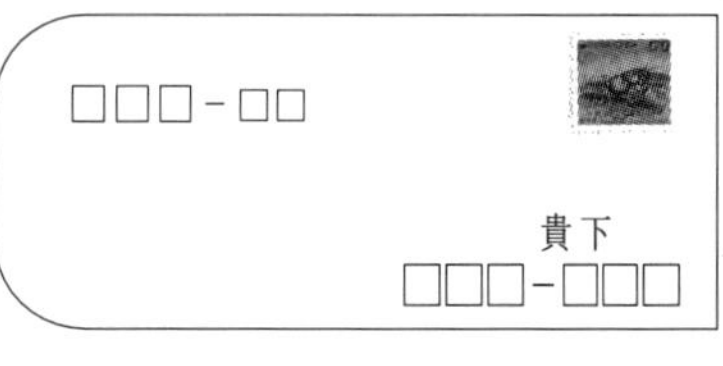

보통우편　普通郵便
botongupyeon

■重要文型■

① '～고 있습니다' は '～ています' という意味で、進行や状態を表わす。

편지를 쓰고 있습니다. : 手紙を書いています。

한국어를 공부하고 있습니다. 韓国語を勉強しています。
hangugeoreul gongbuhago itseumnida

중국어 숙제를 하고 있습니다. 中国語の宿題をしています。
junggugeo sukjereul hago itseumnida

소포를 부치고 있습니다. 小包を送っています。
soporeul buchigo itseumnida

② '～고' は二つの文章を一つに連結する時に使う。日本語では '～て' になる。

동생은 공부하고, 나는 편지를 씁니다.
: 弟(妹)は勉強して、私は手紙を書きます。

친구는 밥을 먹고, 나는 빵을 먹습니다.
chinguneun babeul meokgo naneun ppang-eul meoksseumnida
友達はご飯を食べて、私はパンを食べます。

친구는 10시에 자고, 나는 12시에 잡니다.
chinguneun yeolsie jago naneun yeoldusie jamnida
友達は10時に寝て、私は12時に寝ます。

영주 씨는 테니스를 좋아하고, 나는 수영을 좋아합니다.
yeongju ssineun teniseureul joahago naneun suyeong-eul joahamnida
ヨンジュさんはテニスが好きで、私は水泳が好きです。

③ '～어(아)서' は理由を表わす。日本語では '～て'、'～ので' になる。

바빠서 오래 걸립니다. : 忙しくてしばらくかかります。

게을러서 늦게 일어납니다. 怠けて遅く起きます。
geeulleoseo neutge ireonamnida

슬퍼서 울었습니다. 悲しくて泣きました。
seulpeoseo ureotseumnida

④ '～정도' は日本語では 'くらい'、'程' になる。

학생이 20명 정도입니다. : 学生が20人ぐらいです。

학교까지 몇 분 정도 걸립니까?
hakgyokkaji myeot bun jeongdo geollimnikka
学校まで何分ぐらいかかりますか。

5 '～(으)면'は'仮定'を表わし、'～(으)려면'は'～しようとすれば'、'～と思ったら'、'～するには'の意味である。

> **우체국에 가면 소포를 부칠 수 있습니다.**
> ：郵便局へ行ったら小包を送ることができます。
>
> **소포를 부치려면 우체국에 가야 됩니다.**
> ：小包を送るには郵便局へ行かなくてはいけません。

공부를 하려면 도서관에 가야 합니다.
gongbureul haryeomyeon doseogwane gaya hamnida
勉強をしようと思ったら図書館へ行かなくてはいけません。

빨리 달리면 경주에서 이길 수 있습니다.
ppalli dallimyeon gyeongjueseo igil su itseumnida
早く走れば競走で勝つことができます。

練習問題

1 例を見て文章を完成しなさい。(1)～(3)

(1)

例
편지를 쓰다 → 편지를 쓰려면 어떻게 합니까? 手紙を書こうとしたらどうしますか。

① 소포를 부치다　小包を送る。
→ ______________________

② 우체국에 가다　郵便局へ行く。
→ ______________________

③ 무게를 달다　重さを計る。
→ ______________________

④ 도서관에 가다　図書館へ行く。
→ ＿＿＿＿＿＿＿＿＿＿＿＿

⑤ 양복을 사다　スーツを買う。
→ ＿＿＿＿＿＿＿＿＿＿＿＿

(2)

例

편지를 쓰다 → 편지를 쓰고 있습니다.　手紙を書く。→ 手紙を書いています。

① 무게를 달다　重さを計る。
→ ＿＿＿＿＿＿＿＿＿＿＿＿

② 전화를 걸다　電話をかける。
→ ＿＿＿＿＿＿＿＿＿＿＿＿

③ 우유를 마시다　牛乳を飲む。
→ ＿＿＿＿＿＿＿＿＿＿＿＿

④ 책을 읽다　本を読む。
→ ＿＿＿＿＿＿＿＿＿＿＿＿

⑤ 한국어를 공부하다　韓国語を勉強する。
→ ＿＿＿＿＿＿＿＿＿＿＿＿

2 カッコに '～에게' や '～께' を書きなさい。

(1) 친구(　　) 편지를 쓰고 있습니다.
友達に手紙を書いています。

(2) 할아버지(　　) 전화를 걸었습니다.
お祖父さんに電話をかけました。

(3) 선생님(　　) 소포를 부쳤습니다.
先生に小包を送りました。

(4) 동생(　　) 선물을 주었습니다.
弟(妹)にプレゼントをあげました。

(5) 사장님(　　) 한국어를 가르쳐 드리고 있습니다.
社長に韓国語を教えています。

3 下の質問に答えて、会話練習しなさい。

(1) 편지 봉투는 어떻게 씁니까?
手紙の封筒はどのように書きますか。

(2) 소포를 부치려면 어떻게 합니까?
小包を送るには、どうすればいいですか。(送ろうとしたらどうしますか。)

(3) 우체국에 간 적이 있습니까?
郵便局に行ったことがありますか。

(4) 부모님께 편지를 쓴 적이 있습니까?
両親に手紙を書いたことがありますか。

読み取り練習

(1) 친구에게 편지를 쓰고 있습니다.
友達に手紙を書いています。

(2) 부모님께 엽서를 쓰고 있습니다.
両親に葉書を書いています。

(3) 오늘 우체국에서 편지와 소포를 부쳤습니다.
今日郵便局で手紙と小包を送りました。

(4) 깨지는 물건은 아닙니까?
割れ物ではありませんか。

(5) 이 편지를 미얀마에 부치려고 합니다.
この手紙をミャンマーへ送ろうとしています。

한국 지도

韓国の地図

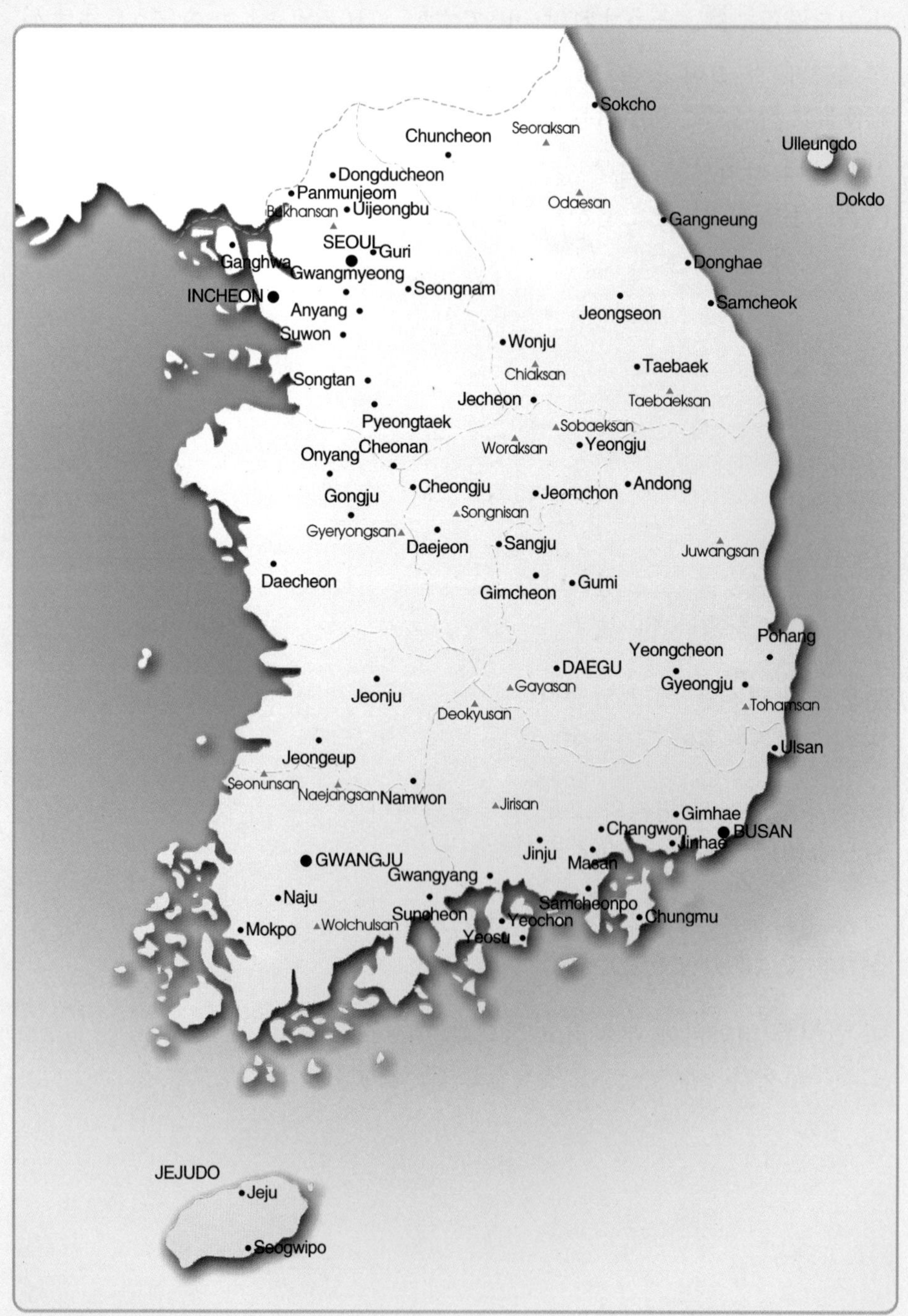

Sokcho
Seoraksan
Chuncheon
Ulleungdo
Dokdo
Dongducheon
Panmunjeom
Odaesan
Bukhansan
Uijeongbu
Gangneung
SEOUL
Guri
Ganghwa
Gwangmyeong
Donghae
INCHEON
Seongnam
Samcheok
Anyang
Jeongseon
Suwon
Wonju
Taebaek
Chiaksan
Songtan
Jecheon
Taebaeksan
Pyeongtaek
Sobaeksan
Cheonan
Woraksan
Yeongju
Onyang
Cheongju
Jeomchon
Andong
Gongju
Songnisan
Gyeryongsan
Daejeon
Sangju
Juwangsan
Daecheon
Gimcheon
Gumi
Pohang
Yeongcheon
DAEGU
Gayasan
Gyeongju
Jeonju
Tohamsan
Deokyusan
Ulsan
Jeongeup
Seonunsan
Naejangsan
Namwon
Jirisan
Gimhae
Changwon
BUSAN
Jinju
Jinhae
Masan
GWANGJU
Gwangyang
Samcheonpo
Naju
Suncheon
Yeochon
Chungmu
Mokpo
Wolchulsan
Yeosu
JEJUDO
Jeju
Seogwipo

索 引

(국문 · 일문 · 영문 · 불문 색인)

ㄱ

ㄹ

ㅁ

ㅅ

ㅇ

FIRST STEP IN KOREAN FOR JAPANESE

2001년 3월 10일 초판 발행
2023년 3월 30일 초판 제9쇄 발행

原著者 慶熙大學校 平生教育院
代表著者 李 淑 子
發行者 金 哲 煥
發行處 民衆書林

413-756 경기도 파주시 문발동 526-3
(파주출판문화정보산업단지)
전화 (영업) 031) 955-6500~6 (편집) 031) 955-6512
Fax (영업) 031) 955-6525 (편집) 031) 955-6528
홈페이지 http: // www.minjungdic.co.kr
등록 1979. 7. 23. 제2-61호

정가 13,000원

ISBN 978-89-387-0005-6 13710